집, 마을
그리고 사람들의 이야기

집은 삶의 족적이며 역사이자 가족과 함께한 소중한 추억이다
어린이들의 웃음소리와 노인의 지혜가 함께 어우러지는
행복한 마을을 가꾸며 살아가는 아름다운 삶의 이야기

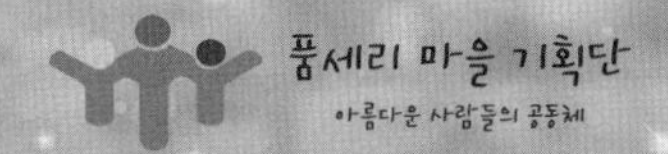

차 례

발 간 사

우리 품세리 마을은 조선시대의 역사기록에도 자료가 남아 있는, 사람들의 거주 역사가 300년이 넘는 마을입니다. 특히 우리 마을은 수 백 년 전부터 내려져 온 개인의 사유 토지 경계선을 기준으로 골목길이 형성되거나, 대지경계선이 분할되어 과거의 토지변천 관계를 추정할 수 있는 토지의 DNA가 그대로 보존되어 있는, 몇 안되는 마을이라는 역사 문화적 가치가 있는 곳이기도 합니다

예전에 알고 지내던 일본인 친구가 저에게 물었습니다.

외국인 입장에서 이해하기 힘들다면서 내민 사진 속에는

"경축-00동 00아파트 건립 재개발 사업승인", "신속철거 조기 착공" 이란 강서구 지역의 아파트 개발 홍보현수막이 있었습니다. 그래서 자초지종 설명해주었더니 이 일본인 친구가 하는 말이 "자기가 살던 곳이 개발로 철거되는 것을 왜 한국 사람들은 축하하나요? 슬퍼하고 아쉬워해야하지 않나요?" 라고 되묻는 것이었습니다. 부끄러워서 말문이 막혔습니다.

언제부터인가 우리는 집이란 오직 자산 증식의 수단으로 인식하여 오래된 주택=노후주택=>아파트 재개발로 이행하는 것을 당연시 해왔습니다. 즉 사람이 사는 집이 아닌 자산증식을 기대하면서 덤으로 그곳에서 임시로 사람이 사는 곳으로 인식해 왔기 때문에 자신의 집이 헐리고 아파트로 개발되면 개발이익을 얻을 수 있다는 생각으로 이같은 문화 파괴적인 개발에

'경축'이란 부끄러운 표현을 쓸 수 있었던 것입니다.

우리 마을 주민들은 2017년 5월부터 이 같은 천민자본주의적 아파트 개발에 반대하면서 그 대안으로 도시재생사업을 선택하여 지역주민들의 주거환경을 개선하고 삶의 질을 개선시켜 왔습니다.

이 책은 우리 마을을 지켜나가기 위해 헌신적으로 도시재생사업에 참여하신 주민들이 왜 도시 재생을 꿈꾸게 되었는지를 자서전 형식으로 진솔하게 표현하였습니다.

그리고 지난 2년 동안 도시재생 각 사업 단계별로 지역주민들이 어떻게 실천하고 노력해 왔는지, 인문학 교육과 성공사례 마을 탐방, 정기적인 마을 대청소 및 바자회 운영, 집수리 기능 교육, 집수리 상담 등의 구체적인 실천 사례도 함께 사진과 글로 담아 냈습니다.

이슬비에 옷 젖듯이 지난 2년 동안 우리 마을 사람들의 머리와 가슴 속에는 '진정한 도시재생의 의미와 가치'가 각인되어 있습니다. 이 책이 도시재생을 꿈꾸는 다른 마을 주민들과 도시재생사업의 의미와 가치를 공감, 소통할 수 있는 계기가 되었으면 합니다.

2019. 8. 30.

품세리마을기획단 대표 조 진 형

역사서에 기록된 우리마을

신길동은 서울특별시 영등포구에 속한 동이다. 동쪽의 동작구 대방동, 서쪽의 도림동과 영등포동, 남쪽의 대림동·신대방동, 북쪽의 여의도동과 접한다.

신길동은 원래 신길리(新吉理)였다. 신길동 동명은 조선시대부터 포구로서 신기리라고 부른 데서 유래된 것으로 추정된다. 신기는 '새터마을' 즉 새로 생긴 마을이라는 뜻이고, 또 새롭고 좋은 일이 많이 생기기를 기원하는 뜻으로도 생각할 수 있다. 신길리가 역사 문서 기록에 처음으로 등장하는 것은 조선시대 정조대왕시기인 1789년 편찬된 <호구총수(戶口總數)>에서이다.

<호구총수>를 편찬할 때 이미 토착주민들이 마을을 이루고 살았던 점을 고려할 때 최소한 약 300여년 전부터 이 지역에 사람들이 살고 있었음을 추정할 수 있다.

신길리는 조선 정조19(1795)년 금천현이 시흥현으로 이름을 바꾸자 경기도 시흥현 하북면 신길리가 되었고, 1895년에 있었던 지방제도개편 때 시흥군으로 바뀌면서 인천부 시흥군 하북면 신길리가 되었다가 다음해 다시 경기도 시흥군 하북면 신길리가 되었다.

신길리는 1914년 행정구역 개편 때 시흥군이 과천군과 안산군을 병합하면서 경기도 시흥군 북면 신길리가 되었다. 그 후 1936년 일제가 경성부를 확장하면서 영등포출장소를 설치하자 그에 편입되어 경성부 영등포출장소 신길정이 되었다. 신길정은 해방을 맞고 난 다음해인 1946년 경성부가 서울시로 바뀌면서 일본식 마을지칭인 정(町)을 청산하고 지금과 같은 이름인 신길동이 되었다.

신길 제5동의 동명은 신길동이 나누어지면서 붙여진 이름이다. 1975년 10월 1일 서울특별시조례 제981호에 의해 신길 제3동에서 분동 · 신설되었다.

현재 신풍역이 인접하고 있으나 지하철 신풍역의 신풍(新豊)에 대한 정확한 유래는 알 수 없지만 현재 두가지 설로 추측된다. **첫 번째 설**은 샛강을 경계로 여의도와 마주보고 있는 신길동은 조선시대에 영등포 나룻터가 있던 곳으로 신풍은 수원가도 이서(以西)의 지역을 관할하는 옛 동명에서 붙여진 이름이라고 본다.

두 번째 설은 한자 뜻풀이 그대로 새로 정착한 곳에 풍년이 잘 들어 이름을 붙였다고 한다.

°

품세리마을의 도시재생사업 소개

▲ 품세리마을의 도시재생 이야기

1. 태동기 – "내 집, 마을은 내가 지키고 가꾼다" 공감 형성

신길5동 442번지 일대는 대부분 논밭이었으나 1970년대 초반부터 본격적으로 도시계획에 의한 개발이 아닌 토지소유자들에 의해 단독 주택 부지로 개발되면서 토지소유 경계선을 기준으로 골목길과 대지경계선이 그대로 남아 있는 특성을 지니고 있습니다.

세월이 흘러 이때 지어진 단독주택들이 노후되면서 하나둘씩 빌라나 다가구 주택들로 재건축되거나, 과거의 단독주택 그대로 남아 있어 2005년경부터 지역주택조합 아파트를 짓겠다는 건축브로커들이 활동을 시작했습니다.

이후 15년이 지났음에도 불구하고 이들은 수차례 추진 주체만 번갈아 가면서 수많은 외지인 조합가입자들에게 경제적 피해를 입혔고, 그에 따라 마을 주민들의 주거환경을 더욱 열악하게 만들고 있었습니다. 아파트개발 소문을 듣고 많은 외지 투기꾼들이 마을의 주택들을 하나 둘씩 매입해놓고는 거의 살지 않으면서 집을 관리하지 않아 폐가 수준의 집들이 몇 개 정도씩 늘어가고 있었습니다.

2017년 3월 어느 날, 지역주택조합 브로커들은 도저히 법적으로 불가능한 내용으로 지역주민들을 또 다시 현혹하고 있었습니다. 지역주택조합은 대도시 지역에서 25평 이상 건물소유자는 조합원이 될 수 없음에도 불구하고, 이들은 지주조합원이라는 특별한 명칭을 사용해가면서 25평 이상을 갖고 있어도 특별히 조합원으로 가입할 수 있으니 토지사용 승락서에 도장을 찍어줄 것을 집요하게 설득하고 있었습니다.

이에 몇몇 주민들이 이 같은 행위는 명백한 사기행위로 간주하여 선의의 피해자가 발생하지 않도록 하기 위해 지역주택조합 사기피해방지 안내문을 자체적으로 제작하여 배포하였습니다.

뒤늦게 이 같은 안내문을 보게 된 마을 주민들이 지역주택조합 영업 브로커들의 집요한 허위 과장 광고에 속아 피해를 입는 일을 막기 위해, 주민들이 스스로 공동체를 결성하여 같이 주택법도 공부하고, 구청이나 공정거래위원회에 허위 과장 광고 행위 단속을 요청하는 민원을 제기하였습니다.

이 같은 몇몇 주민들의 앞장섬에 지역주민들의 자발적 참여가 급속히 늘어 무려 145가구의 토지 및 건물 소유자들이 지역주택조합아파트 추진 반대 입장에 적극 지지하고 행동에 동참했습니다. 활동 거점공간도 마련되어있지 않아 마을에 있는 시민단체 부설 에듀까페맘 작은도서관에서 운영진 회의를 했고, 그 도서관 앞 건축법상 도로 공터에서 야외 집회와 지역주택조합 사기사례 교육을 진행했습니다.

몇 차례 도시재생사업 설명회를 도서관 앞 건축법상 도로에서 갖자 지역주택조합 브로커들은 건축법상 도로상에서 주민들의 집회가 이뤄지는 것을 반대하기 위해 건축 자재등을 이곳에 쌓아두어 사람들의 접근을 막았고, 이에 따라 주민들은 정기모임 장소를 마을 경로당으로 변경하여 모임을 지속해 오고 있습니다.

그러나 주민들은 단순한 지역주택조합 추진 반대 모임으로만으로는 지속 가능하지 않고 외연적 확산에도 한계가 있을 수밖에 없다고 판단하여, 지속 가능한 활동 대안을 찾기 위해 고민한 끝에 도시재생지원법상의 지원방안을 모색했습니다. 주민들은 운영진을 중심으로 적극적으로 국토교통부에 민원 상담을 통해 서울시도시재생시업본부를 소개받았고, 사업본부에서는 2017년 9월경 신설되는 서울시도시재생지원센터를 다시 연계하여 서울시도시재생지원센터의 적극적인 지원으로 오늘에 이르고 있습니다.

서울시도시재생지원센터에서 사무국장과 직원이 주민들의 야외집회 현장을 찾아 처음으로 도시재생 사업 설명회를 가진 날, 마을주민들 187명이 현장에 모였습니다. 얼마나 마을주민들이 주거환경 개선을 위한 합리적 대안을 모색하고 있었는지를 실감케 하였습니다.

<2017.8월 서울시도시재생지원센터의 현장설명회 모습>

당시 9월경에 도시재생 희망돋움 1단계 사업이 공모사업으로 진행될 것이라는 사전 설명을 듣고 주민들은 골목길 별로 대표성과 활동성을 갖고 있는 분들을 운영진으로 선발하였습니다.

운영진들은 한편으로는 지역주택조합의 토지 소유자들에 대한 집요한 허위과장 피해방지를 위한 주민안내문을 게시하고 전달하였습니다. 이와 함께 서울시 도시재생 희망지마을 사업단계를 밟아가기 위한, 첫 걸음격인 희망돋움 1단계 사업 공모제안서 작성 준비를 차근 차근 미리 준비하였습니다.

훈련되지 않은 일반주민들이 그것도 대부분 60대중반이후의 어르신들이 제안서 작업을 하는 것은 사실상 불가능하였기에 브레인스토밍 작업에 역점을 두고 수요자 중심의 사업 제안서 작성을 위한 과제를 도출해 나갔습니다. 이때부터 모인 운영진들을 중심으로 매주 목요일 정기모임을 시작하여 전체 주민모임으로 확대되었고, 현재까지 한 번도 빠짐없이 꾸준히 지속되고 있습니다.

주민들은 지역주택조합과 싸워 내 집은 내가 지킨다는 입장으로 하나로 뭉쳤습니다. 그리고 온갖 허위과장 광고를 일삼고 있는 지역주택조합과 싸워 이기기 위해서는 알아야 했습니다. 주민들 모두가 매주 목요일 정기회의를 통해 주택법을 공부하며 대응하기 시작 했습니다.

2. 희망돋움 1단계 사업 대상 마을로 선정되다

주거안정성을 해치고 사기 위험성이 높은 지역주택조합 추진을 반대하는 주민들에게 지역주택조합의 대안으로서 도시재생사업에 대한 이해와 공감대를 형성하는 것이 필요했습니다. 그리하여 '투기를 위해 사는 집이 아닌, 사람이 사는 집, 그 사람들과 집들이 모여 이웃사촌을 만들어 더불어 살아가는 지역문화를 만들어가는 것이 얼마나 소중한 가치인지를 느끼게 하고 싶었습니다.

<거점공간이 없어 경로당을 빌어 사용하던 마을 정기 모임 장면>
(매주 목요일 19:00 ~ 21:00)

그리고 이같은 사업 목적 달성에 중점을 두고, 도시재생사업을 함께 추진해 갈 수 있는 주민들의 역량강화 프로그램도 병행 추진함으로써 중장기적 도시재생사업 추진의 기초 토대를 형성 했습니다.

2017.9.1. 마침내 서울시 도시재생을 위한 희망돋움 1단계 사업수행 마을로 선정되었습니다.

지역주택조합에 반대하면서 주거환경개선을 추진할 수 있는 합리적 대안을 찾고자 했던 지역주민들에게 희망돋움 마을 선정은 글자 그대로 마을주민들에게 도시재생의 희망을 갖게 하였습니다.

주민들은 스스로 골목길별 대표자를 운영진으로 편성한 후에 우리 마을 주민 스스로 주거환경 개선을 위해 해결해 나가야 할 과제가 무엇인지 머리를 맞대고 논의했습니다.

<희망돋움마을 선정 홍보 현수막 및 운영진 회의 장면>

마을주민들은 우선 도시재생사업 수행을 위한 우리마을의 별칭을 무엇으로 할까 논의한 끝에 <품세리 마을>로 정했습니다.

*도시재생 사업을 통해 주거환경 개선의 뜻을 **품**은,*
*이웃 정이 담긴 마을 문화를 지켜가자는 의지를 **세**운,*
서로에게 영원히 잊혀지지 않는 행복한 사람으로 정을
*나누며 살아가려는 꿈을 **이(리)**루려는 마을.*

이렇게 우리 품세리 마을의 별칭은 주민들 모두의 뜻을 모아 만들어졌습니다. 그리고 이같은 마을 이름의 주인들이 되기 위해 노력했습니다. 다른 마을의 도시재생사업 성공사례 마을을 찾아다니며 우리마을에 적합한 도시재생사업의 모델과 단계별 실천방안에 대해서 구체적으로 논의했습니다.

다른 마을과 달리 우리 마을은 이미 145명의 토지소유자들로 구성되어 있는 도시재생 희망 주민 공동체가 존재하고 있었기에 도시재생에 대한 공감대 형성의 기반은 건실했습니다. 특히 지역주택조합에 반대하면서도 구체적인 대안 제시가 주거환경 개선의 필요성을 제기하면서 아파트개발이 불가피하다는 지역주민들을 설득하기 위해서는 도시재생의 구체적인 실천 사례를 만드는 것이 중요했습니다.

마을주민들은 전문가와 함께하는 마을 주거환경 개선을 위한 마을 현장조사를 진행했습니다. 마을 현장조사를 하면서 주거환경개선 과제 도출은 물론이고 난생 처음 가보는 골목길도 보고 가끔씩 마주치는 마을 사람들끼리 서로 자신들의 집도 알게 되었습니다.

<도시재생 성공사례 마을탐방(좌)과 마을 현장조사 장면(우)>

주거환경개선 사업보다 먼저 이런 사람들 간의 소통을 이루는 것이 더욱 중요하다고 생각하여 정기적인 모임시간에 주택법과 공익사업법, 도시정비법 등을 교육함과 동시에 인문학 컨

텐츠를 활용하여 감화를 통한 자발적 주민참여 토대를 만들어 갔습니다. 그래서 마을 주민들은 “이웃사촌 만들기”프로젝트를 통해 이웃 간의 인사하고 지내기, 정기모임을 통한 자기소개, 마을 대청소 진행 및 좁은 골목길 가로막는 전봇대 이설하기 등을 차근차근 진행해 갔습니다.

마을주민들은 도시재생 사업에서 가장 중요한 것은 외형적인 인프라 개선보다는 콘텐츠라고 생각했습니다. 우리마을 주민들은 1단계 희망돋움 사업을 통해 단순히 지역주택조합 사업 피해를 막기 위한 주민들의 모임에서 벗어나, 우리가 왜 지역주택조합을 반대하는지, 지역문화란 무엇이고 그 문화 속에서 주택을 바라보는 관점을 이해하게 되었습니다. 특히 도시 재생 사업을 통해 주거환경을 개선하고 있는 마을 탐방을 통해 주거환경이 지역주민들의 삶의 질 향상에 얼마나 큰 영향을 미칠 수 있는지에 대해서 진지하게 고민해보는 시간을 가졌습니다.

또한 지역주민들이 우리 마을을 활기차게 재생하기 위한 최우선 목표를 <청년세대들이 찾아오는 마을만들기>에 두고, 마을주민들이 공동으로 운영하는 어린이 돌봄센터, 주거환경 개선과 간단한 집수리를 지역내 은퇴자들이 운영하는 협동조합에서 담당하여 노령층의 일자리 창출효과도 가질 수 있도록 하는 등으로 지역주민들의 삶의 질을 개선할 수 있도록 하는 방안 등을 다양하게 논의하기 시작했습니다.

그 결과 마을 주민들은 뜻을 같이하면 우리들이 이룰 수 있는 게 많다는 자신감을 갖게 되었으며, 특히 이전에는 그 누구도 골목길 쓰레기를 청소한 사람이 없었으나, 이제는 주민들 스스로 "신길동에 산다"는 것을 자랑스럽게 여길 수 있을 정도로 주민들 스스로 '신길품세리마을 자원봉사단'을 결성하여 매주 토요일 11시에 마을 곳곳을 청소했습니다.

<매월 첫째 주 토요일 마을 대청소에 나선 주민들>

이 사업단계에서 가장 감동적이었던 것은 초기에는 지역주택조합 반대 주민들이 주거환경개선 대안으로서 희망돋움마을 사업에 신청했기에 지역주택조합 찬성 주민들과의 긴장과 갈등관계가 첨예했으나, 자원봉사단의 마을 청소와 노후주택 리모델링 무료 상담 및 골목길 환경미화 페인트도색 사업 등을 추진하는 과정에서 지역주택조합 찬반을 놓고 대립했던 주민들 간의 갈등이 완화되었다는 점입니다. 또한 지역주택조합 찬성자였다가 도시재생을 통한 주거환경 개선과 삶의 질을 개선하자는데 공감하는 주민들도 많아져 도시재생 사업에 대한 주민들의 공감대 확산이 상당부분 이뤄졌습니다.

우리는 아직 젊고
이미 대단한 사람들이야!

2017년 서울시도시재생사업을 위한 희망돋움마을로 선정된
신길품세리마을 주민여러분들이 진정한 영웅입니다

더 살기 좋은 주거환경을 가꾸기 위한
뜻을 품고, 세우고, 이루고자 하는 주민들의
마을 공동체가
신길 품세리 마을
로 거듭납니다
http://cafe.naver.com/singil5donghope

물론 어려움도 많았습니다. 주민들을 대상으로 한 홍보 및 정보 공유를 위해 네이버에 까페를 만들어 운영하였으나 워낙 고령 분들이어서 까페에 접속하여 글을 남기는 것 조차 힘들어 하셨습니다. 이에 어르신들을 위하여 특별강사를 초빙하여 휴대폰으로 접속하여 글을 읽거나 쓸 수 있도록 교육을 진행하였습니다. 한글 하나 하나를 조합하면서 휴대폰의 키보드를 눌러서 간단한 댓글을 올리는데만 10분이 넘게 걸리시는 분들이 많았고, 여전히 홈페이지에 글을 올리지 못하고, 카톡도 못 보시는 분들도 계셔서, 지금은 문자정보나 ARS설문 기능을 이용해 정보를 전달하곤 했습니다.

3. 희망돋움 2단계 사업 마을로 다시 선정되다

성공적인 1단계 사업 수행에 이어 2단계 희망돋움 마을로 선정되면서 주민들의 역량은 더욱 강화되어 갔습니다.

처음 1단계 사업을 추진할 때의 대부분의 구성원은 지역주택조합 반대 주택소유자들이었으나, 점차 도시재생 에 대한 이해를 증진하는 탐방과 교육 등을 통해 2단계사업에 진입해서는 토지 및 건물 소유자들 외에 세입자와 지역주택조합 반대 서명을 하지 않은 일반 주민들도 주거환경 개선을 위해 노력하는 운영진 등의 모습에 감화되어 청소와 페인트작업 등을 진행할 때 격려를 잊지 않았습니다.

처음엔 단순히 지역주택조합에 반대하면서 막연한 대안으로서 도시재생사업을 희망했다면, 2단계 사업 진행 과정을 통해서는 주민 대부분이 도시재생 사업의 주체는 국가나 지자체가 아닌 우리 지역주민들 스스로가 담당해야 하며, 가장 중요한 것은 주민들 스스로 형성한 마을 문화와 가치관, 정서의 공유라는 점을 깨닫기 시작했습니다. 이같은 공감대를 바탕으로 우리 마을의 특성에 맞는 도시재생사업의 방향성을 모색하기 위해 다양한 정보를 서로 공유하고 골목길 환경개선 작업 시에 무려 30여명이 작업에 직간접적으로 참여하는 등 도시재생 사업에 대한 이해와 참여를 증진시켜왔습니다.

1단계에서는 몇몇 운영진들에 의해 주도되었다면, 2단계 사업을 추진하는 과정에서는 지역주민들 모두가 자신의 참여가 운영진들의 사기에도 영향을 미친다는 점을 알고 각자 자신의 처지를 고려한 상황에서 적극적이면서도 실무적인 업무 분장을 하는 등 참여 주민들 상호간의 유대감이 매우 강화되었으며, 공동체에 대한 책임의식이 높아졌습니다.

또한 운영진 모두가 기본적으로 사업 수행과정에서 필요한 사업을 추진하는 과정에서 필요한 행정증빙서류 등도 꼼꼼히 챙기는 등 행정 프로세스에 대해서도 잘 이해하고 있어 예산 지출 과정에서의 불필요한 행정력 낭비도 없어졌으며, 운영진 회의를 통해 당초 계획에 없었던 인천 동화마을 추가 탐방까지 스스로 지원자를 모집하여 진행하는 등 공동체 역량이 크게 강화되었습니다

한편 골목길 환경 개선 사업을 추진하는 과정에서 전문적인 벽화조성 사업을 추진해 온 대학생 벽화조성 조직인 “벽의 민족”과 협력하여 총 연장 380미터의 스토리가 있는 마을 벽화거리를 조성하였습니다. 그리고 삼화페인트 사회공헌팀과의 협조체계도 구축하여 벽화조성과 골목길 환경개선에 필요한 페인트를 기부받기도 했습니다. 또한 교육부 등록 시민단체인 좋은학교만들기학부모모임과 협력하여 사회복지실습생들의 정기적인 봉사활동을 마을 주거 환경 개선작업과 연계하는 것은 물

론 지역 내 거주하고 있는 중국동포들에 대한 정착지원 및 자녀들에 대한 교육상담활동 지원 등 다양한 사회적 협력 네트워크를 구축하는 계기가 되었습니다.

골목길 환경개선 사업의 첫 단계로서 마을 입구에 위치하면서도 경제적으로 어려움을 겪고 있는 가정의 주택외벽이 낡아 마을 전체의 미관을 해치고 있는 것을 방부목과 액자 작업, 페인트 칠 등을 통해 골목길 갤러리로 만드는 작업을 진행하였는데, 작업 진행 간 지역주민들 30여명이 간식조달, 청소, 작업 지원에 자발적으로 참여하면서 마을 잔치 같은 분위기가 연출되었습니다.

<430-2 마을입구 주택 외관 향상 작업전> <공사가 완료되어 깔끔한 골목길>

한편, 총 5개의 전신주 이설 및 제거 대상을 선정하여, 이중 골목길 갤러리 작업이 진행되었던 430-2 옆의 골목길 한가운데 위치해있던 전신주를 인접 주민들을 설득하여 제거하였습

니다. 전봇대 하나 뽑기가 그렇게 힘들 줄을 몰랐으나, 주민들이 도시재생사업이 마을전체의 주거환경개선을 통해 개별 주민들의 삶의 질을 개선시킬 수 있다는 점에 수긍하면서 지금까지 우리 마을은 총5개의 전봇대를 이설하였습니다.

이와 함께 전신주 이설 작업 후에는 후속 케이블 및 통신선들의 건물 내 정비 작업을 주민들 자체적으로 진행하였고, 골목길의 미관을 해치는 마구잡이로 가설된 공중 통신선을 각 통신사들과 구청의 가로경관과와 3자 협의를 시작하여 현재까지 통신선을 정리하기 시작했고 늦어도 내년까지는 마을 전체의 통신선이 완전 정리될 예정입니다.

4. 2018 서울시 도시재생 희망지 마을 사업 단계 진입

우리 마을주민들은 1970년대 초중반에 도시 중산층 서민들의 주거지로 개발된 우리 마을이 세월이 흘러감에 따라 점차 쇠퇴해가고 있다는 생각을 하고 있습니다.

1990년대 중반까지만 해도 들렸던 골목길의 어린아이들의 뛰어노는 소리가 사라지기 시작하면서 우리 마을 주민들(건물 소유자 기준)의 60% 이상이 60세 이상의 고령자이고 그나마 비교적 젊다고 할 수 있는 계층들은 유동적인 세입자들이 대부분이어서 마을의 활력이 떨어지고 있음을 안타깝게 생각하고 있습니다.

40년이 넘는 노후 주택들이 많고, 좁은 골목길에 어지럽게 늘어진 각종 전신주와 통신선, 제대로 된 교육 문화 복지 시설이 없는 등으로 점차 젊은이들이 마을을 떠나고, 그 자리를 중국인, 조선족 등 이주배경 주민들이 비집고 들어오면서 주거환경이 더욱 악화되고 있어서, 지난 15년 동안 수 차례 지역주택조합 브로커들에 의해 사기성 사업추진이 시도되었다가 실패한 바 있습니다.

즉 우리 마을의 쇠퇴 요인은 첫째, 노후 주택의 비율이 높다는 점과, 둘째, 도시계획 도로가 부족하여 좁은 골목길로 인해 차량 진출입이 곤란한 곳이 많고, 셋째, 주민들이 이용할 수 있는 교육 문화 복지 인프라가 크게 부족하여, 넷째, 청장년 계층의 유출이 지속적으로 나타나고, 그 공백을 중국 출신 등 외국인 노동자들이 세입자로 메꾸는 현상이 증가하여 주거환경을 더욱 악화시키고 있다는 점을 들 수 있습니다

그럼에도 불구하고 우리 마을은 약 350년 이상의 역사를 갖고 있는 마을이며, 신길동 뉴타운아파트 단지와 접면해있고, 지하철 7호선과 신안산선의 신풍역이 교차하는 교통요지에 위치하고 있으며, 지형적으로 평지이고 마을 전체가 동서남북 모두 4차선 이상의 도로로 감싸있는 형상이어서 마을의 주거환경 개선만 이뤄진다면, 청년세대를 다시 유입할 수 있어 마을의 활력을 되찾을 수 있을 것으로 희망을 갖고 있습니다.

따라서 우리 마을 주민들은 희망지마을 사업단계에서는 도시재생 사업의 궁극적인 목적을 청년세대들이 찾아올 수 있는 마을을 만드는 것으로 설정하였고 청년세대들이 찾아올 수 있는 깨끗한 주거환경과 적절한 교육 문화인프라 조성, 이웃사촌의 정을 나눌 수 있는 지역주민커뮤니티 활성화 등을 주요 실천과업으로 삼고 있습니다. 이미 우리마을 주민들은 희망돋움 1,2단계 사업을 통해 주인의식을 가진 마을공동체의 실천적 노력이 마을을 실질적으로 변화시킬 수 있다는 실증적 체감 프로젝트 (벽화골목길조성)을 진행한 바 있습니다.

이런 점에선 이미 우리 마을은 주민 스스로 도시재생사업을 하고 있다고 할 수 있을 것입니다. 우리마을 주민들은 도시재생을 위한 마음의 준비가 충분히 되어 있습니다. 마른 장작에 불붙이듯 도시재생활성지역으로 선정된다면 우리 마을은 도시재생사업의 대표적인 성공사례 마을로 우뚝 설 것입니다.

한편 도시재생 사업이 우리마을에 적합한 주거환경 개선 사업 수단임을 홍보하기 위해 주민들에 대한 인문학교육을 진행하였습니다. 단지 거주하는 주택이 오래되었다고 해서 마구잡이로 철거하여 아파트를 짓고 사는 것이 과연 우리 마을 주민들의 삶의 질 향상에 기여할 수 있을 것인가를 자문하게 하고, 오래되었지만 이웃들간의 정이 남아있고 아이들의 쟁쟁한 목소리가 울려퍼지는 골목길 문화의 소중함을 느끼게 할 수 있는 인문학적 강좌를 통해 아파트 건설만이 아닌 도시재생 사업에 대한 관심과 공감을 확산시켜 왔습니다.

<희망지 마을 사업계획을 논의하고 있는 운영진>

도시재생사업에 대한 홍보 과정에서 우리 마을 주민들은 형식적인 포스터와 현수막 게시 차원을 넘어 "우리 마을은 우리가 가꾸고 지킨다"라는 생각으로 뜨거운 폭염의 날씨 속에서 380미터에 이르는 벽화거리를 조성하는데 하나가 되었고, 이 벽화 골목길 조성작업을 통해 도시재생사업의 가치를 지역주민들이 공감하는 계기를 마련했습니다. 주민들의 홍보역할은 바로 이 같은 실천적이고 자발적인 노력, 함께 이루는 협력의 모습으로 사람들을 감동시키는 것이라고 생각하고 있습니다.

현재 우리 마을에서 도시재생 사업에 반대하는 주민들의 대부분은 아파트 개발을 기대하고 건물을 매입한 투기성향이 강한 외지인들과 일부 좁은 골목길에 위치한 소규모 주택 소유자들입니다. 우리 마을 주민들은 이들에게 도시재생사업을 통해 쾌적하고 사람들의 정을 나눌 수 있는 도시재생사업 성공 마을로의 비전을 구체적으로 제시하고 이 과정에서 열정적인 실천을 통해, 천민자본주의를 토대한 지역주택조합아파트 건설이 아닌 도시재생사업을 통한 주거환경개선에 동참할 수 있도록 설득해나갈 것입니다.

도시재생은 주민들의 의지와 역량만으로는 성공하기 어렵습니다. 주거환경 개선을 위한 행정적, 물적 자원의 협력 네트워크를 운영하는데 유관 시민사회 조직과 행정관청의 역할은 매우 중요합니다. 주민들의 의지와 실천적 노력이 시멘트와 모래라면 민관 협치 구축은 시멘트와 모래와 자갈과 물을 혼합하여 콘크리트를 만드는 것과 같다고 할 수 있습니다. 우리 마을 주민들은 이 같은 민관 협치 구축의 중요성을 잘 인식하고 있습니다.

사실 우리 마을에 대해서는 전임 구청장이 모종교단체 성직자에게 사석에서 "이 곳에 아파트 지으면 신도들도 좋은 사람들이 많아질 것"이라고 해 설화를 일으켰을 정도였고, 지역주민들이 희망돋움 1단계사업 수행시 도시재생지원과를 찾아 협조를 요청했더니 담당팀장이 "그 마을이 제일 빨리 지역주택조합이 들어설 것 같은데 무슨 도시재생이냐? 우리는 시에서 시키는 대로 할 뿐이다"라고 대답하여 많은 주민들이 마음의 상처가 있는 상태였습니다.

그러나 사업규모가 커짐에 따라, 그리고 컨설팅 용역업체까지 투입되어 도시재생 활성화사업지역으로 가기 위해서는 구청의 적극적인 협조가 필요했습니다. 이에 우리는 지속적으로 동시에 도시재생과장이 적극적으로 통합적 현안 민원 해결의 매개역할을 해줄 것을 요청하였고, 구청에서도 주민들의 노력을 감안하여 소규모환경개선 사업추진과정에서는 관련부서 과장, 팀장이 현장에 출장하여 머리를 맞대고 지원방안을 모색하게 되었습니다.

물론 아직도 해결해야 할 과제가 산더미처럼 많지만,구청과 마을주민들이 협치를 이뤄가게 되는 계기를 마련했다는 점에서 의미가 있습니다.

이제 2018희망지 마을 사업이 막바지에 이르렀습니다. 희망돋움1단계부터 시작하여 현재에 이르기까지 무려 2년동안 주민들은 서울시도시재생지원센터의 아낌없는 지원 속에서 도시재생의 주체로서 갖춰야 할 주민역량을 강화해왔습니다. 그리고 그동안의 우리 마을주민들의 도시재생을 위한 활동 하나 하나를 회상하며 우리마을 주민들에게 도시재생이란 자신의 삶에게 어떤 의미가 있는지를 이 책을 통해 이야기하고자 합니다.

서로에게 영원히 잊혀지지 않는 행복한 사람들이 되기 위해 정을 나누며 살아가는 마을, 품세리 마을입니다.

ㅇ

품세리마을 사람들의 이야기

" 뚱이는 나혼자 키우는게 아닙니다. "

윤순분

정남향집에 좋은 재료를 써서 난방비도 아끼고 우리 집은 다들 따뜻하다고 합니다. 처음 손수 집을 지을 때 몸빼 바지를 입고 일해서, 일하는 아줌마로 오인받기도 한 내가 지은 집, 이 집 담벼락에 그려진 벽화 그림은 나의 아들과 딸과 손주 두 사랑과 사연이 담겨 있습니다. 나에게 집은 우리 가족의 추억이 담긴 소중한 공간이기에 개발을 명분으로 무참히 헐리는 것을 원치 않습니다. 나는 도시재생 사업을 통해 소중한 나의 집을 지켜나가고 싶습니다.

손자 생각하면 나이가 줄었으면 좋겠다.

난 뚱이 할머니입니다. 뚱이는 중학교 2학년인 외손자, 작은 뚱이는 초등학교 2학년 친손자입니다.

남편과 슬하에 1남 1녀 남매를 두었는데 딸도 아들도 자녀를 하나씩 두었습니다. 뚱이 엄마인 딸은 키가 166센티로 '스튜디어스' 아가씨라고 불릴 정도로 예뻤고, 직장을 다니며 장학금을 타면서 대학을 졸업하고, 방송인이 되고 싶었던 꿈을 이루고 싶어 했습니다.

누구 집 아들, 딸인지 잘못 자랐다는 소리를 안 들으려고 정말 바르게 키웠습니다. 그런 딸이 병으로 어느 날 홀연히 손자 하나 남겨두곤 저 세상으로 가버리니 만족도 없고 바람도 없어졌고 희망이 없는 사람이 되어버린 느낌이었습니다. 딸이 아프고 나서 14개월 만에 세상을 떠난 지 이제 5년이 되어갑니다. 딸을 앞세우다 보니 길을 다녀도 사 입고 싶은 옷도 없고, 먹고 싶은 것도 없었습니다. 모든 마음이 먼 산만 바라봐지고 스스로 우울해졌습니다. 내색하지 않고 최선을 다해 살려고 하지만 마음은 자꾸 약해집니다. 그럴 때마다 손자 뚱이를 생각하면 나이가 줄었으면 좋겠습니다.

뚱이는 태어나면서부터 내 손으로 키웠습니다. 저 애가 내 손에서 떠나가면 어떡하나, 먼저 간 딸보다 손자를 더 생각하게 되고, 손자가 내 삶의 중심이 되었습니다. 온 마음으로 손끝으로 노력하며 뚱이를 키웁니다.

그냥 열심히 일만 했습니다. 그 시기에 간병인과 산모교육 자격증을 취득했습니다. 시어머니 중풍 간병에 도움이 컸습니다. 20년 전 간병인 자격증 교육이 초창기였을 때, 동네 친구들이 화투칠 때 간병인 공부하러 마장동 대한적십자사에 가서 자격증을 땄습니다. 공부가 그렇게 재미있고 좋았습니다.

친구 3명과 아현동 복지관에서 공부를 시작하려 했으나, 시어머니 모시고 애들 키우는 게 먼저라 원서만 사놓고 서랍에 넣어두었습니다. 딸이 공부하러 가라고 했는데 집안일이 툭툭 터졌습니다.

2001년 시누이가 죽고, 2003년에 시어머니 돌아가시고, 2005년엔 딸이 뚱이를 낳았습니다. 복지관 선생님이 진작 나와서 공부했으면 면허증도 따고 검정고시 공부도 다 했을 텐데 .... 안타까워했지만 애들이 우선이라 기회를 놓쳤습니다. 지금도 자식과 손주가 우선입니다. 그렇게 살아도 항상 미안한 마음입니다. 그러나 할미와 어미로서 최선을 다했으니 두려울 것도 없습니다.

이런 점에서 제가 지금살고 있는 이 집은 뚱이 에미, 나의 사랑하는 딸이 체취가 담겨있는 소중한 곳입니다. 몇 십 억을 주어도 바꿀 수 없는 딸과의 추억과 사랑이 담겨있는 이곳에서 여생을 마치고 싶습니다.

<신축하기 전 집 옥상에서 딸과 아들 어릴 때 모습>

아이들을 더 바르게 키우려고 노력합니다.

결혼 전까지 정읍, 농촌에서 살았습니다. 서울에 있는 작은 집에 다니러 왔는데 선보라는 말이 나오고 아주토건 공장장이 소개한 사람과 얼굴을 보자마자 결혼이야기가 나왔습니다. 약혼날짜 잡고 동대문에 있는 식당에서 상견례를 하였습니다. 시어머니와 같이 다니며 이불과 혼수를 장만했고, 71년 2월 23일 서대문 우미예식장에서 결혼식을 올렸습니다. 남편과 사이에 1남1녀를 두었습니다.

결혼한 해 11월에 첫딸을 낳았고 75년에 둘째 아들이 태어났습니다. 72년 5월, 첫딸이 돌도 안 지났는데 남편은 해외로 일하러 가게 되었습니다.

신랑이 떠난 지 3개월 만에 첫 월급이 왔는데, 혼인신고가 안되고 동거인으로 돼있어 해외에서 통장으로 보내온 월급을 찾지를 못했습니다. 돌도 안 지난 딸아이를 업고 혼자 종로구청 찾아가 애기가 아파도 병원에 못 간다며 동사무소로 구청으로 서류하러 다녔고, 친정 오빠가 예산 고향 면사무소에 가서 처리하여 혼인신고를 마치고나서야 겨우 월급을 찾을 수 있었습니다.

그때 남편 없이 혼자 딸아이를 업고 혼인신고하며 다니며 서러웠던 마음은 아직도 지워지지 않습니다. 1주일 뒤 동사무소 가서 혼인신고 서류를 떼어보라며 담당자를 대신하여 도와주었던 동사무소 직원이 정말 고마웠습니다. 어떻게 해야 할지 모르던 나에게 도움을 주었던 고마운 사람들이 있어서 난 지금도 손자들에게 몰라서 힘들어하는 사람을 지나치지 말고 도와주라고 가르칩니다.

남편이 해외에 가있는 동안 남편 없이 혼자 사는 여자라고 얕보이기 싫어 더 반듯하게 살려고 했고, 아이들도 더 바르게 키우려고 애썼습니다. 그런 노력으로 주위 사람들도 나를 인정해주었고, 내가 어려울 때면 형제처럼 도와주었습니다.

지금까지 이 마을에서 살아오면서 먼 친척보다 가까운 이웃이 더 살갑게 느껴졌습니다. 지금도 언니 동생하면서 지내는 이웃들 간에는 골목길에서 마주치면 서로 반가워서 손이라도 잡고 싶습니다.

우리 뚱이도 이런 마을 사람의 따뜻한 관심과 시선을 받으며 올곧게 커가고 있습니다. 마을 이웃 모두가 뚱이의 엄마, 아빠의 마음으로 바라봐주고 있음을 우리 뚱이 도 느끼고 있는 듯합니다.

뚱이는 나 혼자 키우는 게 아닙니다.

딸이 세상을 떠나기 전, 신부님에게 손자를 부탁했습니다. 신부님은 뚱이에게 필요한 옷도 사주고 책도 사주며 스키장에도 데려가 주십니다. 주위에서 도와주니 힘을 잃지 않고 용기내서 키웁니다. 뚱이는 나 혼자 키우는 게 아닙니다. 뚱이 일로 속상할 때면 신부님께 전화를 합니다. 신부님은 "그런 놈이 효자가 된다."며 나를 위로해 주십니다. 우리 뚱이는 앞으로도 잘 자라서 어른이 되어갈 것입니다. 시간이 지나고 세월이 약이 될 것입니다.

지금은 조부모가 키우는 아이들이 많습니다. 모르는 것은 귀동냥을 해서 배워둡니다. 뚱이 학교에 담임 선생님이 바뀌면 그날로 면담하러 갑니다. 우리 애를 알아야 대화가 되니 자녀 교육 강의가 있으면 꼭 참석합니다.

신부님은 뚱이가 성격이 까칠하지 않고 느긋한 편이라고 하시지만, 나는 '안 되는 것은 안 된다고' 가르칩니다. 어릴 적 교육이 평생 간다는 생각에 강하게 키웁니다. 혼을 내면 어쨌든 마지막엔 꼭 안아줍니다. 뚱이가 유치원 갈 때마다 "좋은 하루!

친구들과 사이좋게 지내고"라며 꼭 안아주고 보냅니다.

작년 중학교 입학 때 담임 선생님을 면담하며 손자 얘기를 먼저 했습니다. 아이 사정을 모르면 선생님이 실수할 수도 있는데 미리 알고 상대하니 잡음이 없습니다.

학교총회 때는 빠지지 않고 참석해서 면담합니다. "어려운 일은 꼭 전화주세요. 내가 핸드폰 문자를 못하니 급할 땐 며느리한테 문자 보내주세요."라고 하며 며느리 연락처까지 주고 옵니다. 할머니가 키웠어도 잘못됐다는 얘기 안 듣고 싶습니다. 뚱이가 태어날 때부터 성당을 데리고 다녔습니다.

손자가 1,2등 하는 것보다 건강하고 뒤떨어지지 않으면 됩니다. 지난날 내가 힘들게 돈을 모은 이유는 자식을 위해서였습니다. 이제 딸이 두고 간 선물인 뚱이를 위해서라면 뭐라도 할 수 있습니다.

손자 친구 7~8명이 집에 자주 올 때마다 수박이나 피자를 실컷 먹도록 준비합니다. 손자 기가 안 죽게 자장면도 얼마든지 사주려고 합니다. 남편이 입던 티셔츠를 버리기 아까워 내가 입을 만큼 검소해도 손주를 위해선 아끼지 않습니다.

벽화골목에 그림이 그려지고 나서 어느 날, 뚱이와 손을 잡고 벽화이야기를 읽었습니다.

"할머니가 나한테 하는 말이야?",
"그럼, 우리 뚱이와 할머니 이야기지."

"진짜 이 이야기가 우리 할머니 이야기야?",
"그럼, 이게 예사 글이 아니야.
시인이랑 작가랑 마음을 다해 이렇게 한 거야."

벽화골목에 적힌 시는 실화를 바탕으로 한 뚱이와 나의 이야기입니다. 누구든 손주가 있으면 벽화 속 할머니와 똑같은 마음이 아닐까요. 뚱이 기억 속에 할머니는 언제나 사랑입니다. 혼을 내면 꼭 안아 주었습니다. 뚱이도 혼이 나더라도 학교에 갈 때면 할머니를 꼭 안아주고 학교에 갑니다.

"할머니, 그때 왜 안아달라고 그런 거야?"
"응, 혼내고 나면 안 좋은 기억이 멈추도록 꼭 안아 준거야."
이제 뚱이는 소리치며 혼내는 나에게 "안아줘야 학교에 갈 거야."라며 나를 달래줍니다.
"오매, 내가 이렇게 컸지. 할머니, 나 안아줘."

뚱이가 대학교 들어가고 장가가서 아들을 낳으면 그때도 봐줘야 한다며 할머니 손을 잡고 활짝 웃었습니다.

우리 뚱이의 이야기가 우리 동네의 벽화로 그려진 것은 그동안 우리 뚱이가 우리 마을 이웃들의 따스한 사랑과 관심을 받았기에 가능했던 것이라 생각합니다.

사춘기에 접어들어 쭈볏쭈볏하던 우리 뚱이가 동네 이웃 어른을 보면 수줍게 인사하는 모습에서 벽화속의 뚱이가 되어갑니다. 마을이 우리 뚱이를 변화시켜가고 있습니다.

피와 살을 바꿔, 내손으로 지은 집

1972년 6월 4일. 남편은 첫 딸 돌도 안 지났는데 괌으로 해외 근무를 떠났습니다. 사이판, 사우디아라비아, 카푸치에서 근무했습니다. 조기 귀국하면 비행기 표 값이 본인 부담이라 참고 일하며 24개월~28개월이 지나야 한 번 씩 한국에 나왔습니다.

남편이 해외로 일하러 떠나는 날, 공항 갔다가 돌아오는 날이면 빈방이 텅 빈 창고처럼 컸습니다. 성실하고 착한 것 빼면 자랑할 게 없는 남편입니다. 벌어먹고 살려고 신혼때부터 외국으로 돈벌러 떠나가며, 힘들게 일해서 이집을 샀습니다. 그렇게 고생해서 산 집이라 재개발하게 되면 이집이 헐린다고 생각하니 가슴이 너무 아픕니다.

<해외에서 근무하는 남편을 위해 아이들과 찍은 사진>

1988년에 지금 살고 있는 집을 지었습니다. 3층까지 손수 시

공했습니다. 집을 어떻게 짓는지 남편과 차로 개포동까지 가서 새집을 구경했습니다. 강남 집은 벽돌로 다 쌓았습니다.

건축업자에게 벽돌 값을 추가하며 강남처럼 해달라고 다른 집보다 돋보이게 돈 더 주고 좋은 재료를 썼습니다. 알루미늄 80㎜ 쓸 때 84㎜를 썼고, 스티로폼 1,700원 짜리가 아니고 11,000원 짜리 넣었습니다. 몇 년 살다보니 비싼 스티로폼 값 다 나왔습니다.

정남향집에 좋은 재료를 써서 난방비도 아끼고 우리 집은 다들 따뜻하다고 합니다. 직접 공사를 할 때 공사현장에서 몸빼를 입고 일해서 다들 공사판에서 일하는 아줌마로 오인받기도 한 내가 처음으로 사서 지은 집. 대지 50평 남향집에 남향 대문이라 벽화 그림이 그려진 아들과 딸, 손주 두 사랑과 사연이 담긴 집. 앞으로도 영원할 내 집입니다. 이 소중한 내 집을 마구잡이식 아파트개발로 허물어지는 것을 보고만 있을 수 없었습니다.

우리 마을에 아파트를 짓겠다면서 지역주택조합을 추진하겠다는 애기가 나온 지 벌써 15년, 완전 사기에 가까운 영업에 마을사람들의 정서와는 아랑곳 없이 오직 재개발이익에만 관심 있는 탐욕스런 사람들로 인해 주민들이 불안해하면서, 내집은 내가 지킨다 라는 생각으로 많은 주민들이 '도시재생'을 통해 마을 이웃간의 정을 나누며 살아가고 있습니다.

남편이 해외에서 가족과 떨어져 외롭고 힘들게 일해서 보내온 돈과 빚을 내어 첫 집을 장만하느라 전화도 없이 살았습니다. 3년 해외 파견 가서 돈을 벌어 송금하고, 3년 마친 후 한 두 달 귀국해서 같이 살다가 다시 3년 해외로 나가고 이렇게 살다 보니 우린 부부는 늘상 신혼과 다를 바 없었습니다.

<그리운 남편을 생각하며 마당에 꽃을 피우고>

떨어져 사는 동안 남편은 혼자 사는 내가 혹시 바람이 나지 않을까 홍제동에 사는 시누이에게 전화를 걸어 나를 걱정했지만, 나는 시누이에게 바람나려고 해도 살아온 게 억울해서 바람을 못 핀다고 했습니다.

남편과 떨어져 힘들게 살아오는 동안 시누이에게 내 속내를 털어놓고 위안을 받곤 했습니다. 내가 남편 대신 의지하던 시누이, 내 외롭고 힘든 이야기를 들어준 그 시누이가 2001년 환갑의 나이에 암으로 사망했습니다. 마치 친언니가 돌아간 것처럼 슬펐습니다. 얼마 후 나에게 자상하셨던 시어머니도 치매에 걸려 우리 집에서 모시게 되었고 2003년 결국 내손을 잡고 돌아가셨습니다.

남편과 나의 피와 땀으로 지은 이집에서, 사랑스런 내딸과 시어머니를 보내드려야 했던 아픈 상처가 아직도 내 가슴에 남아 있습니다. 이런 집을 무참히 헐어버리고 아파트를 짓겠다고 설쳐대는 지역주택조합 브로커들을 보면 화가 납니다.

결혼 초기 남편이 해외에서 보내 준 첫 월급을 타고 어떻게든 돈을 모아야 집을 사니 무조건 적금 생각을 했습니다. 당시 첫 월급이 7~8만원 되었는데 종로 삼일빌딩 외환은행에서 1년 반짜리 적금을 들었습니다. 내가 돈을 다 쓸 줄 알고 남편이 '적금이라도 들어야지' 해서 웃었습니다. 1년 반 지나 적금을 탔는데 100만원 수표 1장이었습니다. 이까짓 종이 한 장 타려고 그렇게 오랜 고생을 했나, 북어 말린 것처럼 마른 남편 사진을 보고 가슴이 아팠습니다. 다시 1년 반짜리 적금을 들고 타기를 계속 했습니다.

당시 해외에서 보내오는 월급을 타기 위해 은행에 줄 서서 기다리는 여자들 줄이 길었는데 월급이 정지되는 사람이 많았습니다. 사우디에서 남편과 같이 있던 사람들을 만나보면 마누라가 월급을 다 없애서 지금 구두를 닦는 일을 합니다. 장사를 한다고, 집을 늘린다고 했지만 다 망한 집들입니다. 집도 없애고 돈도 없애 당시 해외 근로자 가족들을 보면 10명 중에 3명만 돈을 모아 성공했습니다.

남편 친구들은 "규태야, 네 마누라 덕에 이집 지었어."라며 나를 인정해줍니다. 그래서 내가 더 존경받았습니다. 처음 장만한 내 집, 주위에서 도움을 받아 지었습니다. 40년 전에 지적과에서 근무하던 이준성 공무원에게 감사의 마음을 전하고 싶습니다. 집 분할 등기하여 집짓는데 구청, 동사무소와 주변 도움이 컸습니다.

남편의 도움 없이 혼자 하다 보니 인생 공부가 되었습니다. "너 어떻게 학교도 안 다녔는데 집을 다 짓고 해." 남들은 모릅니다. 인생 공부에 내공이 쌓인걸.

제일은행에 1천원 재형저축 들고, 국민은행에 1년 반짜리 적금 들어 집사려고 융자 받으려하니 은행에 들어간 내 돈이 백만원이 넘는데도 보증인 2명을 세워야한다니 밤새 입술이 트도록 생각했지만 해약하고 이자 3개월 치를 떼이기도 했습니다.

월급으로 잔금 맞추려 했는데 그 달 따라 돈이 늦어 형님에게 80만원만 해달라고 했으나 일주일 후 연락을 준다더니 형님에게서 아직도 연락이 안 왔습니다. 형님 달력은 아직 일주일이 안 되었나 봅니다. 형님과 아주버님은 배운 분이라 출생신고 도움을 요청했으나 결국은 내가 했고 남편에게 출생신고 등기서류도 다 내가 보냈습니다. 형님, 아주버님 도움 없이 나 혼자 해

냈고, 그 힘으로 오랜 세월을 견뎌왔습니다.

TV프로는 잘 안보나 MBC여성시대는 꼭 듣습니다. 강부자, 황인용 때부터 들었습니다. 부엌에서 눈뜨면 라디오를 켰고 일요일 MBC라디오 역사 이야기는 놓치지 않고 들었습니다. 영등포에서 금천, 구로가 생긴 이야기를 라디오에서 듣고 배우니 라디오가 선생님입니다. 눈으로 보는 것보다 귀로 들으면서 상상하는 것이 사람을 더 행복하게 하는 것 같습니다. 남편이 해외에 떠나있을 때 남편을 그리면서 편지를 쓸 때 남편이 더욱 사랑스러웠던 그 감정처럼 낡은 라디오에서 나오는 목소리는 예나 지금이나 하나같이 정겹습니다.

옛날에는 영등포가 강남이었고 영등포의 동쪽이 영동이 되었다고 합니다. 요즘 '하나뿐인 내편'프로그램을 보며 많은 걸 느꼈습니다. 최선을 다해 열심히 살고 안 좋은 일이 있을수록 더 열심히 살아야겠다는 생각을 합니다.

40년 전, 남편 혼자 돈 벌러 떠난 사이판 하늘을 날다.

내 인생에 처음으로 해외여행 간 곳은 남편이 일하던 사이판이었습니다. 2012년에 사이판 하늘을 날아갔습니다. 40년 전 1972년에 새색시인 나를 두고 혼자 비행기를 타고 먼 하늘을 날아갔던 그때. 남편이 일하던 근무지에 가보고 싶었습니다. 그 당시 남편을 실은 비행기가 떠나는 하늘은 왜 그리 높고 멀기만

한지 남편이 약속했습니다.

사이판에 도착하여 그때의 기억이 떠올라 혼자 남겨진 나의 마음도 달래고 또 먼 나라에서 외롭게 고생했을 남편의 마음도 떠올리며 서로 위로받기를 바랐는데, 이런 나의 바람과는 달리 남편은 사이판에 도착해서는 맥주 한 병을 시켜서 혼자 다 마시곤 마치 자기 고향에 돌아온 마냥 푹 깊은 잠에 빠졌습니다.

아무 말도 없이, 아무 재미도 없이...... 나이가 들어도 여자는 남편과 오붓한 시간을 갖기를 원하는 데, 남자들은 그렇지 않은 모양입니다. 40년동안 기대했던 첫 번째 시도한 둘 만의 해외 여행이었던 사이판 여행은 이렇게 허무하게 끝났습니다. 더 늙어 기력이 없어지기 전에 다시 한번 남편과 오붓한 해외 여행을 가보고 싶습니다.

〈우리 품세리 마을 벽화골목에 적힌 시 이야기〉

한없이 작게만 느껴지던 네가
이곳에서 언제 이렇게 컸나

이제는 뭐든 스스로 하겠다고 한다.
옹알거리던 작은 입에선
조잘조잘 사랑스러운 말들이 쏟아져 나오고,

귤을 함께 먹을 수 있다는 것만으로도
너무나 행복했는데
지금 너는 귤을 까서 내 입속에 먼저 넣어주는구나.

이렇게 한없이 사랑스러운 우리 뚱이
늘 부족한 할머니라 너에게 미안한 마음이다.

한껏 예민해서 큰소리치는 내 모습에
왠지 네가 작아지는 것 같아 미안하고
가끔씩 나만 생각하고 싶은 내 마음에
네게 외로움과 상처를 주는 건 아닌지...
너만을 위해 줄 수 없는 내 상황들 속에서도
한없이 밝게 웃어주는 너.

한편으로 너무 많은 아쉬운 시간이
흘러가고 있음을 뼈저리게 느낀다.
네가 건강하게 잘 사는 것이 너무나 대견하고 멋진 일!

나에게 시간이라는 것이
별로 소중했던 적이 없었는데,
할머니가 되어서 너와 함께하는 이 시간이 금보다 귀하게
느껴지는구나.
더 많이 사랑하고 더 많이 사랑한다.

" 우리 집 옥상은 남편의 놀이터 "

성순자

지금 행복한가? 물으면 '네' 하고 대답합니다.

순간에 지나온 세월, 지금도 공부하고 싶은 마음이 간절하나 이해와 암기가 안 되고, 눈도 많이 피로합니다. 모든 신체들이 말을 안 듣는 나이가 되었습니다.

현 위치, 현 상태에서 충실하며 하루하루 보람이 있는 생활을 하며 맑고 즐거운 마음으로 살아가려고 노력합니다. 노년을 아름다운 저녁노을처럼 빛나게 살고 싶습니다.

일본으로 떠나신 아버지를 평생 기다리셨던 어머니

1943년에 태어났습니다. 나를 세상에 있게 한 아버지는 내가 3살이던 1945년 4월에 일본으로 돈 벌러 가셨습니다. 그 뒤로 아버지가 보낸 편지와 물품이 일본에서 한두 번 왔었고, 그해 8월에 해방이 되었습니다. 해방이 되자 일본에 있던 한국인들이 들어올 때마다 아버지가 오실까 기다렸지만, 언제 오겠다는 소식도 없이, 아버지는 영영 돌아오시지 못하셨습니다. 지금까지도 살아 계신지 돌아계신지 조차 알 수 없는 아버지를 나는 어머니가 내민 사진으로만 뵐 수 있었습니다.

아버지가 일본으로 떠나가실 당시 내 나이가 3살이었고, 언니는 8살, 너무 젊고 고왔던 엄마는 27살이었습니다. 어린 나에게는 아버지 없는 상처는 컸습니다. 다른 아이들이 아버지 손을 잡고 다니는 모습을 보면 더욱 기가 죽곤 했습니다. 철없던 9살인가, 10살쯤에 내가 아버지란 존재가 그리웠던지 엄마한테 "나도 아버지 좀 불러보게 엄마 시집 가."하고 조르곤 했었다고 합니다.

외가에서는 엄마가 딸만 둘 데리고 사는 것이 안쓰러운지 재가하라고, 아버지를 기다리지 말라고 했습니다. 저를 예뻐해 주셨던 중학교 선생님이 기억납니다. 엄마가 장사하는데 쓰라고 구하기 힘든 신문도 가져다주시고, 겨울이면 자기 집 지하실에서 움파, 고구마, 과자를 가져오시던 그분이 좋았습니다. 부인과 사별하신 분이라 나는 그분이 우리 아빠가 되면 좋겠다는 생각에 엄마보고 시집가라고 했는데, 그러나 엄마는 재혼하지 않았습니다. 엄마는 나중에 아버지가 오실 것 같아 기다리셨다고 합니다. 엄마는 아버지가 잘생기고 맘도 좋아서 좋았다고 합니다. 지금 생각해보니 작고 예쁘신 엄마, 27세에 혼자가 되어, 딸 둘을 키우시고 소식 없는 남편을 기다리며 사셨던 한평생. 75세에 돌아가신 엄마의 마음은 얼마나 외롭고 아프셨을까? 저의 가슴도 메어지고 아픕니다.

<나의 부모님 신혼 때의 사진>

자서전을 쓰면서 나의 옛 앨범을 꺼내서 다시 찬찬히 보았습니다. 아버지의 사진이 눈에 확 들어왔습니다. 아빠라는 단어를 잊어버리고, 사는 게 바빠서, 얼굴도 기억나지 않는 아빠는 맘속에 없는 사람이라고 원망만 하고 살았습니다.

그러나 가만히 생각해 보니 아빠는 나를 이 세상에 있게 한 사람이었습니다. 저 세상에서 얼마나 외롭고 슬플까? 불쌍하다는 생각이 들어, 사진을 찾아봅니다. 아빠의 존재, 나의 원 조상님, 지금껏 정신없이 살다보니 제쳐두고 있었습니다.

뒤늦게나마 내 침대 위에 아빠, 엄마의 사진을 걸어두었습니다. 잊고 있어서 죄송해요. 용서하세요.

6.25 전쟁 중에도 다녔던 국민학교 시절의 추억

엄마와 떨어져 충남 아산의 친가에서 1년 정도 살았는데 8살이 되어 충남 아산의 금성국민학교에 입학하게 되었습니다. 영희야, 철수야, 바둑이, 셈본공부를 시작할 때 6.25 전쟁이 났습니다. 할아버지는 남자만 교육을 시키고 여자는 학교를 안 보내주셨습니다. 나도 입학만 하고 학교에 가지 못해 속상했는데 엄마가 이 사실을 알고 온양온천에 자리를 잡자마자 아산 친가인 할아버지 집으로 나를 데리러 오셨고, 나는 엄마를 따라 온양으로 가면서 다시 학교공부를 할 수 있게 되었습니다.

6.25전쟁이 한창이던 1951년 나는 뒤늦게 다시 국민학교에 입학하여 공부를 시작하였습니다. 전쟁 중이라 제 나이에 학교 다니는 친구들이 많지 않았습니다. 나는 또래들 보다 나이가 2살이 더 많아서 반장을 많이 했습니다. 그때는 1.4후퇴 후라 공부하다가 사이렌이 울리고 반공연습 비행기가 뜨면 책상 밑에 숨고, 운동장 한편에 있던 웅덩이에 숨기도 했습니다. 밤에는 검은 천으로 창문을 막고 전등불을 가리기도 했었습니다.

남북이 서로 죽이고 죽이는 전쟁의 와중에도 나는 친구들과 함께 고무줄놀이, 앞밟기, 뒷밟기, 사방치기, 새끼돌리기, 달 밝은 밤에 숨바꼭질의 일종인 찢갈래 놀이도 하면서 놀았습니다. 어른들의 전쟁의 공포 속 에서도 아이들은 해맑게 놀던 재미있는 국민학교 시절이었습니다. 국민학교 때는 여름, 겨울 교복이 있었는데 여름교복이 참 예뻤습니다. 소청치마에 멜빵이 있었고, 해군복처럼 뒤 칼라에 네모 두 줄이 있었습니다.

초등학교 졸업할 무렵에 집안 형편상 중학교를 못갈 것 같아서 엄마 몰래 시험을 봤는데 합격을 했습니다. 우리 동네 온천리 6구에 중학생이 나를 포함해서 3명이 있었는데 엄마가 같이 장사하자고, 학교에 가지 말라고 하셔서 속상해 많이 울었던 기억이 납니다. 교복을 맞출 돈이 없어서 입학식 날, 초등학교 때 입던 겨울교복을 입고 입학식에 갔습니다. 나중에 양장점에 다니는 언니가 상의는 만들어주고, 사촌언니 교복치마를 얻어다

입어도 좋았습니다. 배움이 간절했기에 학교에 다닐 수 있는 것만으로도 감사했습니다.

포목점을 열고 비단장사하는 엄마, 양장점 다니는 언니는 돈 버느라 바빠서 집안일은 고스란히 나의 몫이었습니다. 아침밥만 엄마가 하시고 집에 아무도 없으니 저녁밥, 빨래 등 이것저것 내가 알아서 해야 했습니다. 나는 반장을 맡아서 학교 미화정리 등 해야 할 일이 많고, 학교가 끝나면 공부도 하고 싶고, 친구들과 놀면서 정구, 배구도 하고 싶은데, 엄마는 집에 일찍 와서 집안 살림을 하라고 하셨습니다. 어떤 날은 해 넘어 가기 전에 고추를 빻으라고 하셨고, 다른 날은 마늘을 찧어야 하는 등 집안일은 끝이 없었습니다.

온양관광호텔 뒤 냇가는 따뜻한 물이 흘러나와 빨래를 하면 아주 좋았습니다. 친구들과 모여서 수다를 떨면서 빨래하던 생각을 하면 지금도 입가에 미소가 지어집니다. 지금은 복개를 하여 건물들이 새롭게 들어섰습니다. 그 정취를 느껴 보려고 그때 그 친구들과 한 번씩 가보면 우리가 뛰놀던 그곳은 시장으로 변했고, 온양시내를 걸어 다녀 봐도 아는 사람 하나도 없습니다. 너무도 많이 변해 있었습니다. 내 나이가 몇인가? 그래도 온양온천이라는 곳은 내 마음속에 항상 변하지 않은 모습으로 남아있습니다. 그때 그 동네 친구들과 지금도 만납니다. 온양에서 오고, 상계동에서도 오고 지금도 한 달에 한 번씩 롯데백화점에서 만나서, 그때 그 시절 온양에서 살던 얘기하며 우리는 늙어 가고 있습니다. 지금 얼굴은 늙었지만, 내 마음 속 친구의 모습은 항상 어린 시절 온양에서 살던 모습 그대로입니다. 어려서부터 고무줄하며 놀던 친구들이라 눈빛만 봐도 웃음이 나왔던, 세상에서 가장 소중한 친구들입니다.

여군을 꿈꿨던 나, 엄마 손에 이끌려 되돌아오다

누구나 다 팔자가 있나보다 싶습니다. 내가 하고 싶었던 꿈을 이루지 못했는데, 살다보니 다 운명인 듯합니다. 나는 '지금 이렇게 사는 것이 내 팔자인가 보다.'하고 스스로 긍정적으로 생각하고 살아갑니다. 어린 소녀의 학창시절 그때 함께 놀았고 고생했던 동네 친구들이 지금은 다들 잘 살고 있어서 너무 좋습니다.

지금의 온양터미널 자리에 움막 촌이 있었는데 6.25때 홀로 되신 분들이 많이 사셨습니다. 엄마도 혼자 계시니 저녁이면 우리 집에 많이 모이셨습니다. 서로 애환을 털어놓고 얘기하면서 늦게까지 우리 집에 계실 때가 많았는데 난 공부에 방해가 되어 싫었습니다. 늦은 밤에 잠을 자기 전에 내가 무엇을 하면서 살아갈까 고민하기 시작했습니다.

그러던 어느날 친구 아버지가 군청에 근무하시는데 육군본부에서 여군 하사관을 모집한다고 알려주셨습니다. 무료로 영어도 배우고 타자와 행정도 배운다고 해서 난 공부를 할 수 있는 기회다 싶어서 친구 셋이서 모의해서 지원을 했습니다. 아버지가 안 계셔서 용기를 내서 교장선생님께 질문을 했습니다. "내 얼굴이 천연두 자국으로 고민인데 괜찮을까요?" 하고 물으니 교장선생님께서 "괜찮다. 애국심을 많이 넣어서 잘 쓰거라, 그럼 합격한다."라고 자신감을 넣어주셨습니다. 그때 교장선생님께서는 추천서까지 써주시면서 응원해 주셨는데 참 고마웠습니다. 단지 여자군인이 멋있어 보이고 무료로 공부도 할 수 있어서 군인이 되기 위해 단체 생활 중에도 몰래몰래 준비를 하였습니다. 읍장도장, 엄마도장, 구장도장을 받고, 여비는 언니가 마련해 주어 대전 병무청에 접수했습니다.

다음날 10시에 대전에서 시험보고, 1시에 서울 용산 육군본부로 면접을 보러 간다고 했습니다. 아침 일찍 집을 빠져나와 시험장에 도착하니, 엄마가 미리 와 계셨습니다. 엄마는 내손을 잡고 "나는 너 없이는 못산다. 못살아."하며 우셨습니다. 나는 시험이나 보고 실력이나 테스트 해본다고 사정했으나 엄마가 내 지원서를 가지고 달라고 해도 안주셨습니다. 나도 같이 많이 울었습니다.

친구 2명도 부모님들에게 잡혀서 시험조차 보지 못하고 우리 모두 풀죽은 모습으로 집에 돌아 왔습니다. 온양 집에 오니 "순자가 도망갔는데 엄마가 찾아왔다"고 소문이 나 있었습니다.

지금도 그때 여군이 되었다면 내 인생이 어떻게 달라졌을까 생각해보지만, 다 타고난 팔자가 있는 듯합니다.

푸쉬킨의 '삶'을 쓰고, 또 쓰면서 스스로 위안했습니다.

온양 온천물이 피부질환에 좋다고 소문나다보니 주위 모든 친척들이 온천에 오면 꼭 우리 집에서 하루 주무시고 가셨습니다. 비단 옷감 장사는 얼마 남지 않는 장사인데 항상 친척들이 자주 오는 바람에 지출도 많았습니다. 엄마는 항상 돈이 모자라 우리 생활도 항상 부족했습니다.

나는 살림에 보탬이 되기 위해 기술을 배워야겠다고 생각했습니다. 온양에도 양재, 미용학원이 있었으나 가방을 들고 학교 가는 친구들한테 창피하기도 하고 기차통학도 해보고 싶어서 천안우체국 옆에 있는 숭명미용학원에 6개월간 다녔습니다. 미용학원 졸업하고 월급 조금 받으며 천안에서 1년 정도 중급미용사 생활하다가 온양관광호텔 앞 미용실로 옮겼습니다. 신혼여행을 온 사람에게는 뽕을 많이 넣어 바가지머리, 올림머리, 우찌마끼, 소두마끼, 말머리 등 예쁘게 만들어줬습니다.

그때 내 얼굴이 곰보라 신경이 쓰이기 시작했습니다. 손님들은 '미스 성 손이 참 예뻐요.'하면 나는 '내 얼굴은, 내 얼굴은요?' 하면서 더 얼굴에 신경이 쓰였습니다. 이 직업이 나하고는 맞지 않는 것 같아 고민이 많았습니다.

새로운 일을 찾고 싶었습니다. 1963년 가을에 내 고향 충청도 온양을 뒤로 하고 기차를 타고 영등포역에 발을 내려놓았습니다. 전동차를 타고 내릴 때 '땡땡'하고 맑은 종소리가 내 귀에 크게 울렸고, 그 종소리와 내 생활에 '忍耐' 라는 단어를 마음에 새겼습니다. 영등포역에서 동대문까지 가는 전차를 타고 갈 때, 문득 한강철교 밑으로 흐르는 한강 물을 바라보며 내 인생은 어디로 어떻게 흘러갈까 생각하곤 했습니다.

연고가 없는 서울에서 직장 생활을 하면서 외로울 때는 친구들을 만나 수다를 부리며 외로움을 덜어냈습니다. 친구와 만나 종로2가 YMCA 지하 다방에 처음 갔을 때 쌍화차를 마셨는데, 그때 느꼈던 쌍화차의 맛과 향, 그곳 사람들의 모습은 지금도 잊지 못합니다. 또 여름철에 큰홍수가 나서 여의도로 물 구경을 가니, 여의도 비행장에 있던 큰 미루나무 몇 그루만 머리만 보이고, 그곳에서 살던 많은 사람들을 당장이라도 휩쓸고 내려갈 듯이 하는 거센 황토 물결이 나무나 무서웠던 기억이 남니다. 그 물결을 보면서 '내 인생도 저런 거센 물결이면 안 되는데'라는 생각을 했습니다. 경험없는 서울 직장생활이 그리 좋은 것은 아니었지만 '忍耐'라는 글을 써가며 서울까지 왔으니 그래도 '잘해보자, 재미있게 보내자, 내 인생 내가 책임져야지'라고 속으로 맘을 다 잡았습니다.

서울 생활 중 1960년대 중반에 문래동에 있는 무역회사를 다니며 직장생활 하던 때가 그래도 제일 좋았던 시절이었습니다. 일요일이면 명동, 남산, 장충동 공원을 다니며 영화를 보던 그 시절이 그리워 그때의 친구들과 지금도 한 달에 한 번씩 만나 옛 이야기를 하며 시간을 보냅니다.

그 시절에 많은 위로를 받았던 '삶' 이라는 시는 지금도 위로가 됩니다. 요즘도 힘들 때마다 읊곤 합니다.

푸 쉬 킨

삶이 그대를 속일지라도
슬퍼하거나 노하지 말라
슬픈 날엔 참고 견뎌라
즐거운 날이 오고야 말리니

마음은 미래를 바라느니
현재는 한없이 우울한 것
모든 것 하염없이 사라지나
지나가버린 것은 그리움이 되리니

삶이 그대를 속일지라도
노하거나 서러워하지 말라
절망의 나날 참고 견디면

기쁨의 날 반드시 찾아오리라

마음은 미래에 살고
현재는 언제나 슬픈 법
모든 것은 한순간 사라지지만
가버린 것은 마음에 소중하리라

삶이 그대를 속일지라도
슬퍼하거나 노하지 말라
우울한 날들을 견디며 믿으라.
기쁨의 날이 오리니

마음은 미래에 사는 것
현재는 슬픈 것
모든 것은 순간적인 것,
지나가는 것이니
그리고 지나가는 것은
훗날 소중하게 되리니

삶이 그대를 속일지라도
슬퍼하거나 노하지 말라
설움의 날을 참고 견디면
기쁨의 날이 오고야 말리니.

엄마를 모시겠다는 말에 현재의 남편과 결혼하다.

문래동 직장에 다닐 때 신랑감을 소개해 주겠다는 사람들이 많았는데, 홀로 살아오신 엄마 때문에 모두 거절했습니다. 그땐 엄마가 재가하지 않고 우리를 키워주신 것에 보답한다고 생각하여 평생 시집가지 않고 모시고 살겠다는 마음먹고 있었습니다.

그러던 어느 날 직장에서 친한 선배가 결혼하지 않아도 되니 한 번 만나 보라고 하도 권유해서 지금의 남편을 만나게 되었습니다. 처음 만난 자리에서 별로 맘에 들지 않아서 엄마 이야기를 하고 결혼을 해도 엄마를 모시고 살아야 한다고 했습니다. 그런데 이 남편이 내가 어디가 좋아서였는지, 엄마를 잘 모시고 살수 있다고 하는 것이었습니다.

그때까지만 해도 장모님을 모시고사는 사위는 눈뜨고 찾아볼 수 없는 시절이었기에 그 말이 고마워 몇 번 더 만남을 이어갔습니다. 사실 엄마를 모시고 살겠다는 다짐이 없었으면 지금의 남편과 결혼을 하지 않을 수도 있었습니다.

1970년에 영등포 경원예식장에서 남편과 결혼하게 되었는데 남편은 10남매 대가족의 8아들중의 7번째 아들이었습니다. 다를 어려워서 신혼여행을 충남 서산 해미의 시댁으로 갔습니다.

결혼 신혼살림은 삼촌집의 방에서 시작하여 이곳에서 신혼 3년을 보냈습니다. 방을 공짜로 쓰는 대신 삼촌댁의 청소며, 살림살이는 내 몫이었습니다. 결혼 당시에는 경기화학이란 비료회사에 다녔는데 중소기업이어서 힘들었는데 삼촌께서 오비맥주에 취업시켜 주셨습니다.

<1969년 12월 남편과의 약혼 사진>

엄마를 모시고 살게 된 것은 엄마가 연세가 드셔서 가게를 그만두신 1980년대 중반부터였습니다. 남편이 약속을 지킨 셈인데, 지금도 엄마 산소를 갈 때 남편이 꼭 같이 가줍니다.

엄마는 큰사위보다 우리 남편을 좋아했고 내가 남편을 투정하면 오히려 나를 탓하셨습니다. 그럴 수밖에 없었던 것이 내 생일이면 내 옷보다 엄마 옷을 사다드렸고 월급날이면 고기 2근을 사서 1근을 엄마 드리고, 1근을 나에게 갖고 왔으니 얼마나 이쁜 사위였을까 이해됩니다.

이렇게 엄마에게 잘해 준 남편에게 정말 고맙게 생각합니다. 엄마에게 하는 것보고 감동하여 나도 남편에게 서운한 것을 참으면서 지냈습니다.

이곳에 산지 44년, 우리 마을 이웃 사촌들을 사랑합니다.

1960년대 말, 당시에는 우리마을 근처에는 시장이 없어서 영등포시장까지 장을 보러 다녔는데, 그 이후에 우신극장이 생기고 신풍시장이 들어섰습니다. 당시에는 신길 3동, 신길 4동까지만 있었습니다. 지금의 신길 5동은 1975년 10월에 신길 3동에서 나눠져서 생긴 것입니다.

그 시절에는 도시가스 공급이 되지 않아 대부분의 집마다 지하실이 있었는데 장마철이 되면 지하에 물이 차서 연탄이 젖을까봐 물을 퍼내느라 힘들었던 시절이 있었습니다. 논밭이 대부분이었던 공터에 우리가 집을 짓기 시작하여 다른 집들이 하나, 둘 들어서고 남서울 아파트도 이 무렵에 지어졌습니다.

지금 우체국 옆에 외삼촌 땅이 있었는데 외삼촌은 엄마에게 온양에 혼자 있지 말고 두 딸이 있는 서울로 올라오라며 집을 마련해 줘서 엄마도 서울에 올라와 가게를 했습니다. 엄마 혼자 가게를 하시기에 화장실을 가도 문을 잠그고 가야하니 내가 옆으로 이사 올 수밖에 없었습니다. 엄마 장사하는 것을 도와주려고 지금 살고 있는 이 집을 사기로 결심했습니다.

<1971년 지금의 우체국앞길에서 찍은 아들과의 사진
오른쪽뒤에 있는 지금의GS건물이 보인다>

이 집을 산지 벌써 44년, 1976년에 600만원을 주고 지금의 신길동 집을 샀습니다. 처음에는 슬라브집이었는데, 한번 증축을 하고 살다가 헐고 95년도에 새로 신축을 해서 지금의 집이 되었습니다. 이곳은 내 손 때가 안 묻은 곳이 없습니다. 집수리, 페인트칠도 혼자하면서 이집을 가꾸고 지켜왔습니다.

나는 돈 복이 없어서 조금 아쉽지만, 사람복은 있는 것 같습니다. 우리 마을에 살기 시작하면서 지금까지 이웃하며 같이 살아 온 많은 분들이 나에겐 형제와도 같습니다. 나는 마음속으로 그때부터 이웃하면 지내온 그 분들과 같이, 건강하게 오래오래 살며 신길동을 지키자고 약속을 합니다. 나를 아는 모든 사람들을 좋아합니다. 먼 곳에 있지만 생각나는 사람, 가까이 있는 벗들, 친하게 지내는 벗들, 속마음까지 모든 애기 다할 수 있는 친한 사람들. 정말로 사랑합니다.

이곳 신길동 집에는 나의 모든 희로애락이 담겨 있습니다. 나의 삶이 고스란히 묻어있습니다. 내 생이 끝날 때까지 이곳에 머물고 싶습니다. 그리고 마지막으로 소원이 있다면 다음 생에는 부잣집에 태어나서 하고 싶은 공부를 맘껏 하고 싶고, 피부가 고운 예쁜 여자로 태어나고 싶습니다.

엄마, 아내, 딸로서 사랑하는 가족들에 대한 연민의 정

1980년부터 매년 12월 31일이 되면 제야의 종소리를 들으며 가족회의를 열었습니다. 다과를 준비하고 큰아들이 사회를 봤습니다. 1년 동안 각자 불만, 포부 등을 얘기하며 가족애를 다졌습니다. 끝에는 꼭 오락을 했습니다. 해마다 12월 31일이 되면 가족이 돌아가면서 사회를 보고, 우리도 자녀들에게 부탁도 하고, 잘못도 말하면서 서로 이해하고 화해하는 시간이 되었습니다.

<우리 가족 사진>

성실·노력·화목이라는 가훈도 이때 세웠습니다. 10살, 5살이던 아이들과 '산골짝의 다람쥐'와 '과수원길'을 부르며 카세트테이프에 녹음을 했었는데 지금의 손녀들에게 들려주니 엄마 어릴 때 목소리를 듣고 신기해합니다. 손녀딸은 할머니의 보물이라고 합니다. 중학생이 된 손녀들이 테이프 녹음 소리에 맞추어 그 노래를 부르는걸 보니 정말 세월이 빠르다는 생각이 듭니다.

우리 애들이 성장하여 세 명이 중고등학교에 다니니 집안형편이 넉넉지 않아서 일을 놓을 수가 없어서 계속 일을 했습니다. 돈 버는 일은 자기양심을 지켜야한다 생각했습니다. 항상 정직하고 성실하게 일했습니다. 나는 남의 일도 내일처럼 했기에 서울시내 백화점을 안다녀본 곳 없이 다 다녀봤습니다.

1989년, 1990년 시기에는 일당이 3만원이었는데 사장님은 나를 믿는지 항상 몰래 5천원을 더 주었습니다. 그러하니 더욱더 열심히 성의껏 했습니다. 돈 버는 것도 좋지만 배우는 것도 많았습니다. 사람들을 만나며 물건을 팔았지만 나는 그 사람들에게서 더 많은 것을 배웠습니다. 젊은이들의 생각도 알게 되고 그들을 이해하며 스스로 젊게 사는 방법도 배우게 되었습니다. 사람을 대할수록 관계를 통해서 많은 것을 배웁니다.

1993년, 지금도 잊히지 않는 사건이 벌어졌습니다. 나는 명이 긴 것 같습니다. 서초동 삼풍백화점이 우리가 철수한지 5일 뒤에 와르르 무너졌습니다. 그때까지 내가 그 자리에 있었다면 지금의 나, 성순자는 없었을 것입니다. 압구정 현대백화점이 일하기가 편했습니다. 그 백화점은 교육받을 때 품위를 지켜야 한다고 교육하기 때문에 호객행위를 못하게 합니다. 다른 백화점에선 시키지 않아도 호객행위를 해야 하는데 여기는 손님이 물으면 그때 물건에 대하여 설명을 해주면 되니 좋았습니다.

늘상 어머니가 빚만 지는 장사를 해서 장사가 싫었는데 내가 이렇게 장사 욕심이 있는지 나도 몰랐습니다. 밤에 아프다가도 출근하면 아픈 게 해소되는 건지, 살림하면서 밤 12시까지 집안일하고, 인천으로 다닐 때는 새벽 4~5시경에 기상하고, 사장님이 가라면 가라는 데로 가고, 잠실 롯데백화점에서 많이 일했습니다. 이렇게 일을 하면서 아이 셋을 키웠습니다.

큰아들은 내가 이루지 못한 꿈, 교사가 되라고 권유해서 물리학과로 진학을 했습니다. 며느리도 착해서 20년이 지나도 그때나 지금이나 변함이 없는 마음이 그저 고맙습니다. 아들하나 딸하나 남매를 낳고 화목한 가정을 이뤄주니 고맙습니다. 요즘은 아들이 "엄마 나 퇴직이 얼마 남지 않은 것 같아요."하기에 얼굴을 보니 50살의 얼굴! 이제는 아들을 더 의지하고 삽니다.

결혼할 때 '아들아 무엇이든 며느리하고 상의해라. 서로 존중하고 가정이 화목해야 된다. 고집 세우지 말고.' 말했었는데 그 아들이 벌써 나이 들어 퇴직을 걱정하고 있습니다. 엄마만 고생한 것이 아니라 사랑하는 나의 큰아들도 고생 많이 했습니다.

아빠를 가장 많이 닮은 둘째아들은 참 착합니다. 호텔에 근무하며 여행도 많이 다니고 홀가분해서 좋다고 하지만 47살의 아들이 혼자 사는 것을 보면 부모인 나는 항상 그 아들 때문에 마음이 아픕니다. 막내딸은 간호사로 근무하다가 시어머니를 돌보며 아이들 뒷바라지 하고 있습니다. 간호과에 가기 싫다는 걸 '시집 잘 가면 안 해도 되지만 살아가는데 도움이 되지 않겠니? 하며 설득해 보냈는데 지금 시어머니를 간호하는 딸이 기특합니다. 어려서부터 착하고 마음이 고운 나의 딸은 불평하나 없이 자기 일은 스스로 처리하는 착한 딸이었습니다. 지금도 할머니 생각하며 나보다 먼저 산소에 가자고 합니다.

나의 남편은 고집이 센 편이지만 손녀, 손자한테는 순한 양입니다. 이제는 많이 변해서 나한테도 손자, 손녀한테도 사랑한다는 말을 잘하는 편입니다. 정년퇴직하고 나서 지금은 일주일에 세 번 등산도 가고, 직장 동료들과 전철여행도 가고 친구들과 즐겁게 지냅니다.

우리 집 옥상은 남편의 놀이터입니다. 옥상에 텃밭을 만들고 그곳에다 무엇이든 심고 싶은 것을 심고 가꾸는 재미로 한 손으로 자기가 하고 싶은 것, 잘 가꾸고 있습니다. 예전에 사고로 팔이 아프고 마음대로 안 되자 그 화를 나와 아이들에게 풀었습니다. 자신은 아니라고 하지만 아이들과 나는 정말 많이 힘들고 마음이 아팠습니다. 그러나 지금은 남편도 많이 누그러지셨습니다. 항상 생각합니다. '잘해주자, 잘해주자, 참고 또 참자.'

내 자식들이, 나와 남편한테 맘 많이 써주지 않는가. 아빠 많이 닮은 둘째가 아빠 편을 많이 듭니다. 결혼하면 잘해준다더니, 내가 속아서 결혼했다고 하면 우리아들이 '아빠같이 엄마 사랑하는 사람 없어요. 얼마나 더 잘해요?'라며 나한테 윙크를 하면서 아빠 편을 듭니다. 우리는 스킨십도 잘하고 서로 사랑한다는 말도 잘합니다.

친정엄마가 '너는 내가 살아도 고민이고 내가 죽어도 고민이다' 하시면 나는 '엄마, 고민 안하게 하면 되지, 왜 내가 왜 무슨 죄가 있다고.' 말대꾸하곤 했습니다. 엄마를 천안공원에 모셨는데 일 년에 한번 가서 '엄마, 용서 하세요'하고 말합니다. 눈물이 절로 납니다. 엄마는 나한테 서운한 것이 있으면 제 애비 닮아서 양잿물같이 독한 년이라 하십니다. 그때는 내개 독하지 않으면 우리 살림을 꾸릴 수가 없었습니다. 엄마도 보태줘야 하고 옷 한 벌 못 사 입고, 주위 환경이 너무 신경 쓰이고, 힘이 들어서 죽고 싶다는 생각도 했었습니다. 이제는 그 시절을 다 지났지만 엄마에게만은 못해준 것이 지금도 마음에 걸립니다. 착한 딸이 외할머니와 같이 방을 써서 할머니 기억을 많이 합니다. 외할머니 산소에 갈 때도, 고기 좋아하신다고 항상 딸이 산적을 해갑니다. 내 생일은 안 챙겨도 꼭 장모님 생일을 챙기는 남편은 엄마 산소에 가면 '장모님, 양잿물같이 독한 딸 왔어요.'합니다.

지금도 새벽이나 잠이 안 올 때면 하나밖에 없는 언니가 생각납니다. 내가 중학교에 갈 때 교복해주고, 하사관 간다고 할 때

엄마 몰래 도움준 것 잊지 않고 있어서, 잘 하려고 노력하는데 내가 언니한테 말실수를 한 것이 너무 마음에 걸립니다.

엄마가 살아계실 때 옷 사드리고 고기 사드리면서 극진히 엄마를 모셨던 우리 남편한테 너무 미안한 마음에 "언니! 내가 엄마재산 먹었어? 어떻게 언니는 한 번도 엄마 생일을 안 해드려? 언니도 엄마, 한번 모셔봐" 하고 퍼부었던 적이 있었는데 그때, 언니 맘이 어떠했을까? 너무 미안합니다.

앞으로 1년마다 한 번 씩 자서전 써야겠다는 생각이 듭니다. 자서전을 쓰면서 내 아픔 상처도 치유되고, 남탓하며 살아온 과거를 회상하며 후회하기도 하면서 내 삶을 성찰할 수 있는 기회가 되었습니다.

요즘, 나는 지금까지의 나의 삶에서 가장 행복한 시간을 보내고 있습니다. 예전엔 여기저기 아픈 곳도 점점 많아지고 얼굴의 주름살도 날이 갈수록 많아지는 것이 싫었지만 자서전을 쓰면서 과거를 회상하니 인생이란 초등학교 소풍과 같은 것이라는 말에 공감됩니다. 초등학교 소풍처럼 내가 원해서 시작한 인생은 아니지만 이제 소풍을 마감할 시간이 점점 다가오면서 이 짧은 소풍이 얼마나 소중했었는지를 느낍니다. 그래서 하루하루가 그 어느 때보다도 소중하며 매일 만나는 이웃들의 밝은 얼굴과 정감어린 눈 빛이 더 따뜻하게 느껴집니다.

나이 들어 병들어 죽는 것도 우리 인간의 삶의 운명이니 탓하지 않고 늙은 고목처럼 비록 화려한 꽃은 피우지 못하지만 고즈넉한 풍경을 보는 이에게 전해주면서 여생을 마치고 싶습니다.

버려진 아이들을 돌보면서 사랑을 느끼다.

막내딸이 국민학교에 입학하니 나도 무언가 해야 할 것 같아 봉사를 해보자는 생각으로 홀트아동복지회를 방문했습니다. 심사위원께서 생명을 가꾸는 일이니 더욱 심사숙고해서 봉사하라고 말씀하셨습니다. 입양되기 전의 아기들을 돌보는 봉사를 시작한 목적은 그 아기들을 돌보며 우리들에게 '사랑'을 심어주자는 것이었습니다. 1982년부터 1988년까지 6년 동안 26명의 아기들을 키워서 입양을 보냈습니다.

아기들이 해외 입양이 결정되면 목사님의 기도를 받는데, 이 짧은 기도시간과 입양 준비를 하는 시간 내내 나도, 우리 아이들도 울었습니다. 마음속으로 '우리 아기, 양부모님 품에 안기기까지 잘 보살펴 주소서'하고 기도를 했습니다. 데리고 가는 분들은 주로 유학생이었습니다. 아기가 떠날 때 손 흔들고 집에 오기까지 울고 또 울었습니다.

한 아이를 3~5개월 키웠습니다. 기억에 남는 아기는 1.8Kg의 다리가 나무젓가락처럼 뼈만 남아있는 아기여서 무척 신경 써야했습니다. 남편과 아이들의 도움이 있었기에 할 수 있었지,

아무나 하는 봉사는 아니라고 생각합니다. 제일 놀랐던 기억은 아기를 목욕시키고 나서 재웠는데 갑자기 비가 와서 기저귀 빨래를 걷으러 간 사이 아기가 깨어나서 빨리 안아주지 않는다고 울다가 파랗게 질려 있었습니다. 너무 놀란 나머지 그 아이를 업고 병원으로 뛰어가서 다행히 큰 위기는 모면했습니다.

그 당시 내가 아기들을 돌보는 것을 반대하는 사람들이 많았습니다. 동네 사람들 모두 내가 미쳤다고 했고 아이 키우는 것을 말렸습니다. 친정 엄마는 더 반대가 심했습니다. 그래도 보람되는 건 그 아이들이 커서 찾아오기도 합니다. 아이를 키울 때 간직하고 있던 사진을 보여주곤 합니다. 이 아이들과의 인연은 내게 마음의 위로를 주었고, 우리 아이들도 동생처럼 여기며 잘 자라주었습니다. '아기 사진을 더 많이 찍어 놓을 걸......'하는 아쉬움이 남습니다.

이웃 간의 정을 되살린 도시재생 사업에 감동하다

우리 마을의 우체국 앞에서 처녀시절부터 살아왔던 이 마을과 나의 집은 나의 삶의 흔적입니다. 벌써 이 집과 같이 흘러온 세월이 50년입니다. 아마도 나의 생을 이곳에서 마감할 것입니다. 내가 세상을 떠날 때 나의 아들, 딸과 더불어 나의 이웃의 손을 잡고 눈을 감을 수 있다면 편안할 것 같습니다. 내 아들 딸이 태어나 성장하고 친정엄마를 보내드린 이 마을과 집, 골목길 하나하나가 영화처럼 아름답고 행복한 추억을 담고 있는 소중한 곳입니다. 지금도 나의 머릿속에는 50년 전 신길동 모습이 그대로 눈에 선합니다. 남서울 아파트, 우신극장, 신풍시장 등이 생기고 없어지기도 했습니다. 썬프라자, 강남성심병원, 우리시장 등 새로운 건물들이 생기는 역사를 내 눈으로 모두 보았습니다. 내 머릿속에는 우리 마을의 지난 50년의 역사가 사진처럼 새겨져 있습니다.

가끔씩 시장을 다녀오다가도 오랜 동네 친구를 만나면 어제 봤는데도 오늘 또 반갑습니다. 자기 나이 들어가는 것은 친구 늙어가는 것 보면서 느낀다고 하듯이 점점 쇠약해져가는 그분들의 모습을 볼 때마다 스스로 더욱 형제 같은 애닮은 정이 솟구칩니다.

2년 전 부터 우리 마을 주변 동네들이 하나 둘 씩 재개발되면서 우리 마을에도 외지 건축브로커들이 아파트를 짓겠다면서 토지 동의서를 받기 위해 온갖 나쁜 짓을 다하고 있습니다. 그러나 나는 물론 나의 이웃 친구들 대부분이 우리가 살던 이 땅의 사람도 그대로, 집도 그대로 지켜가며 살기를 원합니다. 50년 전과 비교하면 우리 마을의 모습이 많이 변했고, 집도 점점 나이가 들어 언젠가는 철거하여 다시 집을 지어야 할 때가 올 수 있습니다. 그러나 우리는 건물이 낡은 것은 조금씩 수리하면서 살아갈 수 있지만, 50년 동안 관계를 맺고 살아 온 우리 이웃들과의 관계는 무너지면 회복할 수 없다고 생각합니다.

앞으로 신안산선 전철도 새로 생긴다고 하고, 이마트도 인접지에 들어서는 등 더 많은 변화가 생기게 되면 새로운 사람들이 더 많아 질 것입니다. 그처럼 세월이 가면 점차 마을도 변하겠지만 우리 집과 우리마을을 기억하는 사람들도 점점 없어질 것이 우린 두렵습니다.

그런데 2년 전부터 우리 마을에 도시재생사업을 위한 준비사업을 우리 주민들이 앞장서 추진해 왔습니다. 설마 할 수 있을 까 반신반의했던 380미터의 골목길 벽화와 골목길 갤러리 만들기, 마을 대청소와 바자회 등 이제껏 보지 못했던 새로운 이웃 만들기가 이뤄지면서 앞집 뒷집을 넘어 온 동네 주민들이 친구가 되고 있는 모습이 감동적입니다

우리 마을의 도시재생홍보 포스터에는 이런 글이 쓰여져 있습니다.

“어린이들의 웃음소리와 노인의 지혜가 함께 어우러진 행복한 마을, 영원히 잊혀 지지 않는 행복한 사람들이 되고자 하는 사람들이 서로 정을 나누며 살아가는 마을”

나와 우리 마을 주민들은 도시재생사업으로 이 같은 아름답고 행복한 마을을 꼭 지켜나갈 것입니다.

" 자서전을 쓰고 나서 수면제 안 먹어 "

윤종춘

품세리 마을 어르신 자서전을 쓰게 되면서 내 스스로 변화되기 시작했습니다. 살아온 이야기를 하며 눈물을 흘리는 동안 오랜 가슴의 응어리가 풀어지면서 이제는 수면제가 없어도 잠을 잘 수 있게 되었습니다. 오랜 서러움과 평생의 한이 풀렸습니다. 품세리 마을 덕분입니다. 자서전을 쓰면서 엄마를 잃고 우는 어린 시절의 나를 안아줄 수 있었습니다. 지난 이야기를 풀어 놓으면서 시댁 형제에겐 잘 하고 나에겐 너무 야속한 남편과 화해할 수 있었습니다.

동지 팥죽을 나눠주러 가던 엄마와의 추억

1945년 음력 십이월 십칠일, 충북 진천에서 팔남매에 일곱 번째로 태어난 나는 할아버지와 할머니, 아버지와 어머니, 언니 셋, 오빠 셋, 남동생 한명까지 다복한 대가족이었습니다. 할아버지는 4형제이셨는데 우리 할아버지가 장남이셨고 아버지 밑으로 세분의 할아버지가 계셨는데 초등학교 교장 선생님을 하신 할아버지, 참봉 벼슬을 하신 할아버지, 독립운동을 하시던 할아버지 이렇게 계셨습니다. 독립운동을 하시다 돌아가신 할아버지는 고향에 묘비가 있어 삼일절이면 학생들이 묘비에 찾아가 인사를 하고 갑니다.

할아버지가 벼슬을 하셔서 여기저기 산과 땅이 많았다고 합니다. 부자였던 우리 집에서는 고소한 기름도 짠 것 같습니다. 내 기억에 마당에 나무가 길게 있고 기름이 흘러나오는 것을 보았습니다. 아버지는 사형제에 고모 한 분이 계셨는데 고모는 시집갈 때 하인을 데리고 가셨습니다. 아버지는 맏이라 공부를 못 하시고 둘째 작은아버지는 사범대학을 다니셨는데 졸업 후 결혼하여 아들 하나 남기고 결핵으로 일찍 돌아가셨습니다. 셋째 작은아버지는 양자로 가셨는데 고등학교 서무과장을 하시며 조금 가난하게 사신 거 같았습니다. 막내 작은아버지는 안성은행에 다니셨는데 부잣집 딸과 결혼해서 아들 하나 낳고 세 식구가 행복하게 사시다가 6.25 전쟁 때 폭격에 맞아 두 분이 다 돌아가셨다고 합니다.

우리 엄마는 첫째, 둘째, 셋째 계속 딸만 셋을 낳고 나니 시집살이가 심했다고 했습니다. 나도 딸만 다섯을 낳았는데 그 옛날에 얼마나 힘드셨을까, 여자의 잘못도 아닌데 얼마나 많은 눈물을 흘리셨을까, 낳아 본 사람만이 아는 서러움입니다. 네 번째 아이를 낳으려고 할 때 할머니는 또 딸이라고 생각해, 고모하고 불을 끄고 사랑방에 조용히 계셨다고 합니다. 엄마는 위로 딸만 셋을 낳은 까닭에 넷째도 딸이라고 잘못 보고 아기를 낳자마자 윗목에 죽으라고 엎어 놓았는데, 캑캑거려 뒤집어보니 아들이라서 너무 놀라, 첫째 딸을 깨워 할머니한테 아들을 낳았다고 얘기를 전했는데 할머니는 믿지 않으셨다고 합니다. 나중에 아들인 걸 알고 난리가 났습니다. 네 번째 출산에 기다리고 기다리던 손자가 태어나자 할아버지는 대문 앞에 금줄을 메고 동네에 소문을 내서 온 동네잔치를 벌였다고 합니다.

첫 손자 이후로 작은 손자도 태어났지만, 할머니는 작은 손자는 돌보지 않고 오직 큰손자만 안고 밥 먹이고, 고기도 큰손자만 줄 정도로 장손만 예뻐했습니다. 어머니는 딸 셋을 낳고 다시 아들 셋을 낳은 다음, 일곱 번째로 저를 낳았으니 저를 얼마나 귀여워하셨는지 모릅니다. 저 바로 밑으로 여덟 번째 딸을 낳았는데 홍역으로 어려서 죽었고 끝으로 아홉 번째 아들을 낳아 팔남매를 키우셨습니다.

옛날에는 동짓날이 되면 팥죽을 쑤었는데, 가마솥에 팥죽을 한가득 쑤어서 내가 호롱불을 들고 엄마는 팥죽을 담은 동이를 머리에 이고, 이웃에 사는 가난한 사람들한테 한 동이씩 나누어

주셨습니다. 행여나 돌부리에 부딪혀 넘어질까 봐 겁이 났지만 엄마는 어두운 밤인데도 잘 다니셨습니다. 지금도 동짓날이면 추운 밤 호롱불을 밝히며 엄마와 함께 동지 팥죽을 나누어 주러 다니던 겨울밤이 떠오릅니다.

내가 어릴 때 우리 집에는 위로 언니 셋이고 친고모, 당고모까지 결혼 안한 여자가 다섯이나 되니 일본 경찰들이 많이 찾아와서 장롱을 앞으로 조금 당기고 그 뒤에 숨어 있었다고 했습니다. 비행기 폭격이 잦아 낮에는 산에 방공호를 넓고 크게 파서 그 속에 숨어 있었습니다. 낮에 밥을 해서 연기가 나면, 일본 놈들이 찾아오니까 해가 없을 때 밥을 해 먹었다고 합니다. 내가 어릴 때는 울타리 밑에 항아리를 묻고 쌀도 숨겨놓고 책도 숨겨놓았는데, 왜 항아리에 숨길까 궁금했는데 나중에 알고 보니 일본 사람들이 농사를 지으면 먹을 쌀마저 다 빼앗아가고 심지어 쌀을 안주면 때렸다고 합니다. 옛날 어른들은 들일을 하기도 힘든데 일본 사람들한테 농사지은 모든 것을 빼앗기고 괴롭힘을 당했으니 얼마나 힘드셨을까? 아버지는 옛날에 마을일을 하는 구장(지금은 반장)을 보았는데, 일본사람한테 끌려가 매를 많이 맞아서, 그 옛날에 약도 없을 때라 매를 많이 맞은 데에는 똥물이 약이라고 하여 똥물까지 먹었다고 합니다.

큰오빠가 군대를 가게 되자 둘째 오빠가 농사를 짓게 되었습니다. 작은 오빠는 농사를 지으며 5일장이 서는 저녁이면 나무장작을 지게에 지고 시장에 내다 팔아서 사탕을 사다가 올케한테 주었습니다. 그 자리에서, 나도 하나 주고 올케언니도 하나 먹으면 좋을 텐데 안 줄 때도 많아 늘 아쉬웠습니다.

해마다 봄이면 도시락을 싸 가지고 동네사람들 여러 명이 모여 자루와 앞치마를 가지고 산으로 나물을 뜯으러 아주 멀리 갑니다. 해질 무렵 나물보따리를 이고 산을 내려와 집에 오려면 이삼십 리는 걸어야 합니다. 다래순, 삽추, 곰치를 따고, 운이 좋으면 지치도 캐었습니다. 산으로 오르내리다보면 가시에 찔리고 긁히고 넘어지고 미끄러지기를 수십 번 반복해도 함께 하는 그때가 재미있었습니다.

누에가 처음에는 알에서 깨어나 1미리 2미리 자라서 손길만큼 자랐습니다. 일 년에 두 번 봄, 가을로 두 번 누에를 한 달 키우는데 삼일이면 뽕을 먹고 하루 종일 자고 사흘 먹으면 또 자고 몇 번을 반복해야 합니다. 누에를 키우는 동안은 빨래를 삶아도 안 되고 옷에 풀을 먹이면 거짓말처럼 누에에서 풀물 같은 것이 나오고 불을 때다 부지깽이를 물에 적시면 누에가 새까맣게 되었습니다. 또 파리가 방에 들어와 씨를 까면 구더기가 나와서 누에를 다 죽였습니다. 뽕잎이 젖은 것을 주면은 누에가 죽고 뽕잎이 모자라면 멀리 이웃 동네에 가서 논둑, 밭둑에 가서 따와야 합니다. 누에가 뽕을 먹을 땐 비오는 소리가 났습니다. 누에를 키우는 한 달 동안은 힘들고 고달픕니다. 한 달이 되면 누에는 하얗게 되고 볏짚으로 새끼줄에다 넣고 뱅뱅 돌려 집을 예쁘게 지어주면 에스자로 하얗게 입으로 실을 뽑아내 고치를 짓는데 참으로 신기하고 예쁘게 집을 잘 짓습니다. 하얗고 예쁜 고치를 보면 그동안 누에를 키우느라 애쓰고 힘들었던 고생이 싸악 씻깁니다. 한 달이 지나 누에 공출하는 날이 돌아오면 누에고치를 따가지고 농협으로 팔러갔습니다.

목화솜 이불 다섯 채를 해주신 친정언니

1968년도에 결혼을 했는데 그 당시 북한에서 간첩단이 내려와 청와대까지 쳐들어간다고 하며, 간첩이 이집 저집 지붕위로 뛰어 다닌다고 시끄러울 때였습니다. 간첩 김신조는 생포했다고 하는데 남편이 새벽시장에 나가고 없을 땐 많이 무서웠습니다.

스물세 살 되던 해 당고모부가 중매를 섰는데 친구 동생이라 했습니다. 서울에서 가게를 한다고 해서 '기반을 빨리 잡겠구나.'라는 생각을 하며 아버지와 막내오빠, 나 셋이 선을 보러 갔습니다. 길을 걸어가는데 할머니 한분이 우리 뒤를 따라오셨습니다. 나중에 알고 보니 시어머니 되실 분이었습니다. 식사 때가 되자 시어머니께서 한 상에서 먹자고 하셔서 같이 먹었습니다. 밥을 먹고 나니 당신 집으로 가자고 하셔서 만나는 날 시댁에 가게 되었습니다. 선보는 당일에 약혼 사진도 찍으라고 해서 찍고 집으로 돌아왔습니다.

<선 보는 날 바로 찍은 약혼 사진>

혼수이불을 하려고 광목을 사오면 처음에는 노랗습니다. 10마씩 4개를 만들어 물에 적셔 논둑이나 냇가 둑에서 물에 적셔 반복해서 널어서 놓으면 나중엔 하얗게 색이 변하고 이불호청을 만들게 됩니다. 남편은 결혼준비 할 때부터 짠돌이였습니다. 결혼 날짜를 9월에 잡으라고 해서 잡았는데, 목화가 늦게 되어서 목화솜을 이불 두 채 거리만 해다 준다고 했습니다. 이불 두 채에 들어갈 솜을 친정언니가 해주니 친정올케는 봄 이불, 여름 이불 두 개를 만들게 되면 짝수는 안하는 거니까 이불 하나는 시장에 갖다 주라고 했습니다. 청주에 사는 고모가 뭐 하러 갖다 주냐면서, 도회지에는 연탄불이라서 아랫목에 이불을 깔아 놓아야한다고 부족한 솜을 사가지고 오라고 해서 이불 다섯 채를 해주었습니다. 역시 손은 안으로 굽는다고 했던가! 고모가 많이 고마웠습니다. 일찍 돌아가신 친정어머니 생각에 가슴이 사무쳤습니다.

시어머니가 성당에 다니셨는데 성당에서 관면혼배라도 먼저 해야 된다면서 시어머니가 미사통상문이라는 조그만 책을 주셨는데 책만 보면 졸려서 할 수가 없었습니다. 성당에서 예식을 하고 집에 돌아오니 앞으로 살 일이 캄캄했습니다. 피곤하고 얼마나 힘든지 시집살이가 이런가 하는 동안, 결혼하는 날이 밝아 왔습니다. 결혼식 날 사진사가 와서 결혼사진을 찍는다고 약속했는데, 사진사를 데려올 시간이 되지 않는다며 사진사 없이 결혼식을 하게 되었습니다. 평생 한번인 결혼인데 서글프다 못해 울고 싶었지만 참았습니다. 그날은 음력 9월 22일, 가을날이라 해도 짧았습니다.

신혼집은 부엌 없는 집에서 일 년을 살고 양남동 둑 밑에 초라한 하꼬방에 이사를 오니 그래도 부엌이 있어 좋았습니다. 그런데 공동 수돗물을 오백여가구가 길어다 먹어야하니 참으로 힘들었습니다. 수돗가는 항상 시끄럽고 떠들썩하지만 그런대로 없는 사람끼리 모여서 살아 인심은 좋았습니다. 갈수록 배도 부르고 물 길어다 빨래를 한다는 것이 보통일이 아니었습니다. 하루 밥, 네 번 먹는다는 것이 너무 힘들고 연탄불이 꺼질까봐 잠도 제대로 잘 수가 없었습니다. 애기를 갖게 되어 무척 반갑고 기뻤지만 남편은 나와 아이보다 큰집이 항상 먼저라고 생각한 것 같습니다. 양남동에 살던 집이 철거가 돼서 임신한 채로 대림동으로 이사를 왔습니다. 판잣집이지만 여러 채를 사서 사글세를 놓아 돈을 조금 모았습니다. 위로 딸만 줄줄이 넷을 낳고 다섯째를 가졌을 때, 너무나 아들이기를 바랐습니다. 남들이 이번에는 아들이라고 했는데 하루는 기름장사가 와서, 딸이라고 하면서 음력 7월20일 지나서 출산해야 아들이라고 했습니다. 그 날만 넘겨보았으면 했는데 아뿔싸, 20일 아침 출산할 기미가 보이기 시작해 머리감고 목욕하고 나니 12시20분, 또 딸을 낳았습니다. 다섯을 낳는 동안 큰딸 외에는 병원에도 못가고 다 집에서 낳았습니다. 태는 이웃 아주머니가 잘라주었으며 한번은 언니가 와서 태 잘라주고 밥과 미역국을 끓여주고 가셨습니다. 넷째 딸 낳을 때는 아무런 생각도 눈물도 없더니 다섯째 딸 낳으니 끝도 없이 눈물이 쏟아졌습니다.

<너무나 잘 자라준 다섯 딸의 어린 시절>

지금 집에서 손자, 손녀 열명 낳는 동안 산후조리 해줘

1972년 7월 신길동으로 이사 오던 날은 무척 더웠습니다. 방세 개에 거실이 있고 조그만 마당도 있는 32평 아담한 집으로 이사를 했습니다. 이사 오기 전날, 시아버님이 시골에서 오셨는데 좋은 꿈을 꾸라고 덕담을 해주셨습니다. 이 집은 나와 남편, 딸 다섯 일곱 식구가 오순도순 살아온 우리 가족의 꿈과 희망이 담긴 곳이었습니다. 이 집에서 평생을 살려고 이웃과 함께 손수 집을 지었습니다. 이 목숨 다하는 날까지 가족과 행복하게 살려고 눈물, 콧물 다 흘리며 고생해서 지은, 기쁨과 슬픔이 깃든 아늑하고 포근한 우리 집입니다. 경험 없이 집을 짓는다는 것은 정말 힘든 일이라는 것을 이 집을 짓고 나서야 알게 되었습니다.

딸 다섯이 중학교, 고등학교, 대학교에 줄줄이 다닐 때는 많이 힘들었지만, 지금은 다섯 딸들이 다섯 사위를 만나 가정을 일구고 손자손녀 열 명이 함께 하는 집이 되었습니다. 다섯이 열이 되고 스물이 되는 동안 행복도 두배, 세배로 늘었습니다. 이 집에서 학교 다니면서 삐뚤어지지 않고 잘 자라줘서 고맙고, 딸 다섯이 손자손녀 열명을 낳고 산후조리 하는 것도 모두 이집에서 했습니다.

나는 이집이 한푼 두푼 모아서 산거라 너무 좋습니다. 이집 옥상은 나의 농장입니다. 옥상에는 없는 것 없이 다 있습니다. 옥상에 심고 싶은 거 다 심어서 반찬 없으면 옥상에 가서 부추, 상추, 돈나물 뜯어 먹고, 기분이 안좋을 때는 옥상에 화초를 보면 마음이 편해집니다. 빨래 잘 마르지, 하늘도 볼 수 있지, 옥상에서는 시간 가는 줄도 모르고 쌓인 감정도 다 풀어버립니다.

남편이 결혼 생활하며 돈 벌어서 시댁에만 갖다 주고 우리는 하꼬방 같은 데서 사는데 시댁 식구 12명을 챙겨야 했어요. 큰 시누이 시집살이가 가장 힘들었어요. 시누이도 옆에 살면서 돈을 뜯어가고 남편은 60살까지 남을 위해 살았지요. 남편이 나를 함부로 하니 시누이도 동서도 다 돈을 빼가기만 했습니다. 남에게는 천사처럼 잘하지만 나에게만 못해 지난 시절 마음고생이 너무 많았습니다. 친정 엄마 없이 자랐기에 무작정 내가 잘못했다고 생각하고 참고 마음에 묻어두어 평생 한이 맺혀 있었습니다.

딱 한번 타임머신을 타고 과거로 돌아갈 수 있다면 7~8세로 돌아가고 싶어요. 엄마가 계셔서 마냥 좋고 행복한 그때로요. "엄마"하고 불러보는 게 소원이었습니다. 아이들 돌잔치 때도 친정엄마가 있는 남들이 그렇게 부러웠습니다. 11살에 엄마가 돌아가시고 언니 세명이 시집가고 나니 밥해 먹을 사람도 없어서 올케들 눈치를 보며 고생이 시작되었는데, 결혼해서도 남편과 시댁식구들까지 저를 함부로 대했습니다.

자서전을 쓰고 나서 수면제를 안 먹어도 잠이 와

그 오랜 세월을 사는 동안 엄마 없이 자라고 시댁에서 천덕꾸러기 취급을 받아온 터라 한이 쌓이고 쌓여 수면제 없이 잠을 자기가 힘들었습니다. 그런데 품세리 마을 주민 공동 자서전을 쓰게 되면서 변화되기 시작했습니다. 살아온 이야기를 하며 눈물을 흘리는 동안 오랜 가슴의 응어리가 풀어지면서 이제는 수면제가 없어도 잠을 잘 수 있게 되었습니다. 그 오랜 서러움과 평생의 한 풀렸습니다. 품세리 마을 덕분입니다. 자서전을 쓰면서 엄마를 잃고 우는 어린 시절의 나를 안아줄 수 있었습니다. 지난 이야기를 풀어 놓으면서 시댁 형제에겐 잘 하고 나에겐 너무 야속한 남편과 화해할 수 있었습니다. 딸을 낳을 때마다 마음에 쌓였던 상처와 흉터를 지금은 그 다섯 딸들이 치료해 줍니다. 이제는 자녀들이 지난날의 아픔을 보상해줍니다.

엄마를 떠올리면 나를 초등학교 선생님으로 키우겠다는 말씀이 기억납니다. 삶이 힘들 때는 어린 나를 두고 너무 일찍 돌아가셔서 왜 나를 힘들게 했냐고 살아계셨으면 내가 선생님이 되어 잘 살았을텐데......라며 원망도 했었습니다. 딸 다섯을 낳는 동안 친정엄마가 안 계심과 시어머니의 냉정함이 사무쳤는데 자서전을 쓰며 나를 돌아보는 시간을 갖게 되고 나를 힘들게 했던 모든 감정들에서 자유로워지게 되었습니다. 이제는 엄마와의 작은 기억들조차 나를 아끼고 사랑했던 말이라는 것을 가슴에 담아둡니다.

나는 도시 재생사업으로 인해 더욱 많은 이웃을 알게 되고, 만나면 반갑고 서로 인사 나누며 사는 것이 얼마나 행복한 일인지 모릅니다. 길에서 만나면 많은 이야기를 나누며 웃을 수 있고 단합도 잘되며, 서로 이름도 불러가며 어느 집에 누가 사는지도 알 수 있어 우리 마을은 축복받은 마을입니다.

나의 꿈은 지금 살고 있는 집에서 많은 꿈을 이루었으니 더 이상 바랄 것 없이 더 욕심내지 않고 이대로 건강하게 사는 것입니다. 지금처럼 살면 되고 마음 편안하면 되는데 왜 아파트를 짓는다고 하는지 모를 일입니다. 우리 같은 노인들은 여기가 헐리게 되면 정든 고향과 이웃 친구와 모든 것을 버리고 시골로 갈 수 밖에 없는데 얼마나 슬플지 생각하기도 싫습니다. 우리 나이에는 병원에 갈 일만 있는데, 병원에 가려면 돈이 필요한데 집에서 월세가 나오니 자식들한테 손 안 벌리고 살 수 있습니다. 언제든지 마음대로 병원가고 친구를 만나서 맛있는 거 먹고, 놀러 다니고 이보다 큰 행복이 어디 있을까요? 손자, 손녀 용돈도 조금씩 줄 수 있어 지금이 행복합니다.

<다섯 딸에서 열이 되고, 스물이 된 우리가족>

내 이야기는 책 한권으로도 모자란다며 언젠가는 자서전을 쓰고 싶다고 생각했었지만, 어디서부터 어떻게 써야 할지 몰라 쓰지 못했는데 도시재생 희망지 사업을 하며 자서전을 쓸 수 있게 되어 감사합니다. 나의 소중한 이웃친구가 되어주신 우리 동네 품세리 마을 주민 여러분에게도 감사드립니다.

우리 동네 주민들은 확신합니다. 연세가 칠, 팔십이 넘으신 분이 많은데도 불구하고 우리마을을 깨끗하게하고 평온한 마을로 만들자는데는 모두 앞장서서 함께 하십니다.

매주 목요일 주민정기모임에 항상 자리를 지켜주시는 얼굴들. 골목골목 빗자루를 들고 마을청소도 같이 해주시고, 바자회 때는 몇 시간이 되도록 자리를 지키며 손으로 뜬 수세미도 팔고 직접 만든 재생비누도 팝니다. 열무김치도 팔고 김치전도 같이 부치며 마을 주민들이 함께 만들고 함께 즐기는 모두의 축제 같은 품세리 마을 바자회. 나누는 정이 있고 서로를 위하는 마음이 있는 품세리 마을. 앞으로도 우리 품세리 마을 이웃들과 행복하게 여생을 마치고 싶습니다.

" 제 삶을 돌아보게 되었던 것에 감사 "

이 명 숙

저의 행복가치는 이웃들과의 소통을 통해 더불어 살아가면서 자기 효능감을 느끼는 것입니다. 지금까지 그래왔듯 화려하지는 않지만 남한테 상처 주지 않으며 평범한 일상을 지내면서 여생을 지내고 싶습니다.

오랜 삶 속에서 상처입은 젊은 시절의 제 모습도 있지만고목의 상처처럼 모두 사랑과 이해로 감싸니, 돌아오는 것은 따뜻한 시선과 감사의 덕담이더군요. 우리가족 모두의 삶의 역사이자 추억인, 그래서 생명처럼 지켜온 내 집에서 이웃들과 정을 나누며 살아가고 싶습니다.

경북 칠곡에서 태어나 대구, 문경에서 살던 어린 시절

나는 6.25전쟁이 한창이던 1951년 경북 칠곡군 연화동에서 태어났고, 초등학교 때까지 대구에서 살았습니다.

전쟁 통에서도 생활력이 강하셨던 어머니는 대구역 앞 미군부대에 음식을 공급하는 총책임자로 일하시면서 가족을 부양하셨습니다. 미군부대에서 흘러나오는 단무지, 콩자반, 통조림 등을 가져오시기도 하셨고, 큰 드럼통에 누룽지를 긁어서 가져와 모아 놓으면 새벽닭이 울 때, 70리나 되는 먼 거리의 왜관 밑, 연화동에 사시는 큰아버지께서 오셔서 가져다가 물에 불려서 보리밥이랑 같이 온가족이 드시고는 하셨습니다.

6.25 전쟁 중이어서 다들 먹을 게 귀할 때라 이런 누룽지만이라도 감사할 따름이었습니다.

6.25전쟁 후에 우리 가족은 일본식 2층 집에 살았었고, 아버지는 도로공사, 쌀장사 등을 하시면서 가족을 부양하셨습니다. 6살 때인가 추운 겨울날에 아버지께서 나와 동생을 털 잠바로 감싸 품에 안고 택시 타고 집에 가곤 했던 기억이 납니다. 지금도 그때 느꼈던 아버지의 따뜻한 품이 잊혀지지 않습니다. 지금도 아버지의 그 따뜻한 품이 그리운 것을 보면 몸만 늙었지 마음은 유아시절의 귀여운 딸, 그대로 멈춰있는 듯합니다.

명절이나 집안의 큰 행사가 있을 때 큰 집에 가려면, 기차를 탈만도 한데, 나의 엄마와 아버지는 한복을 입고 항상 강 건너

산길로 걸어서 큰집을 가셨습니다. 강을 건널 때마다 우리를 품에 안고 한 사람씩 옮겨 놓고, 짐 보따리를 옮기곤 하셨습니다.

요즘 사람들 눈으로는 이해할 수 없는 장면이겠지만, 지금도 오른 팔로는 저를 번쩍 들어 가슴에 안고, 왼팔로는 무거운 보따리를 드신 채 강을 성큼 성큼 건너시던 아버지의 믿음직스러운 모습이 낡은 추억으로 남아 있습니다.

우리가족과 같이 지내시던 큰아버지와 큰어머니에 대한 추억은 큰아버지가 소를 판돈을 잃어버린 것보다 내가 신발을 얻어 신지 못하게 된 것이 더욱 서운했던 철없던 시절의 에피소드가 떠오릅니다.

제가 16살 때 쯤 큰아버지께서 키우던 소를 팔러 우시장에 가실 때면, 큰어머니께서는 나에게 소를 판 돈을 지키라며 큰아버지와 함께 장에 보냈습니다. 술을 좋아하시던 큰아버지가 돈을 잃어버릴 것을 염려하시던 큰어머니의 우려대로, 큰아버지는 나한테 술집 앞에 서서 기다리라고 하시곤 술을 드시러 들어가셨습니다.

그리곤 3시간이 지난 후에 큰아버지는 보자기에 말아서 허리춤에 찼던 소를 판 돈을 도둑맞았다면서 황망한 표정으로 나오셨습니다. 큰아버지의 황망함보다는 “소 팔면 신발을 하나 사준다”고 하신 큰아버지의 말에 밖에서 3시간이나 기다린 보람도 없어져 울상이 되었는데, 집에 돌아오니 큰아버지 옆에서 돈도 못 지키고 왔다고 큰어머니께 무척 혼나고 너무 속상했던 적도 있었습니다. 참으로 철이없었던 시절이었지요.

대구를 떠나 문경에서 잠시 산 적이 있었는데, 그곳 마을은 우리 품세리마을 만큼이나 동네 분들이 인심이 참 좋았었습니다. 마을 아낙네들이 저녁이 되면 횃불을 들고 나가 냇가에서 다슬기를 잡고 해감을 한 후, 까서 먹기도 하고 앞치마를 목에 걸고, 산에서 한 아름 나물 뜯고 두릅 따와서 동네 분들에게 나눠드리면 동네 분들은 반찬도 갖다 주고, 다른 것도 갖다 주곤 하셨습니다. 싸리버섯, 송이버섯을 따와서 된장 풀어서 끓여 먹으면 고깃국은 저리 가라 할 정도로 너무 맛있었습니다.

이때의 마을 분위기가 지금 우리 품세리마을 이웃들 사이에서 느껴지기 시작하는 것 같습니다. 예전에 같은 마을에 사는 사람이라도 길을 다니다가 만나면 어정쩡한 눈인사가 고작이었는데, 도시재생사업을 하면서 서로를 잘 알게 되면서 이제는 지하철 타러가다가 길에서 만나면 아주 반가운 인사를 하게 되었습니다. 겉으로 골목길을 확장하고 큰 문화센터를 짓는 것보다 더욱 소중한 것이 이처럼 음식도 나누고, 정도 나누고 살아가는 골목길 문화를 만들어가는 것이라고 생각합니다.

2년 전에 처음 들어보는 '도시재생'이란 말에 뭔지는 잘 모르겠지만 어쨌든 지역주택조합에 반대하는데 도움이 된다는 생각에 참여했던 많은 분들이 이제는 ‘도시재생’이 왜 중요한 지에 대해서 스스럼없이 말 할 수 있게 된 것이 참으로 대견하기도 합니다.

그만큼 우리 마을은 지난 2년 동안 서로를 이해하고 더불어 살아가는 이웃의 정을 돈독히 해왔습니다. 이런 점에서 우리마을은 ‘도시재생’을 통해 옛 마을의 정을 되살려 내었다고 할 수 있지요.

1970년도에 서울로 올라온 우리 삼남매

1970년 내 나이 19세에는 아버지께서도 돌아가셔서 우리 삼남매는 누군가의 도움이 필요했다. 아버지 친구 분의 인도로 우리 삼남매는 서울로 올라왔습니다. 의지할 곳 없이 막막하여 앞으로 어떻게 하나 걱정이 많았습니다. 그러나 그분은 우리 동생들을 학교도 보내주시고 취업도 알선해 주셨습니다. 다들 어려운 시절에 우리도 서울 생활을 시작했습니다. 나중에 남동생은 울산 빵 공장으로 가고, 여동생은 명동의 진고개 식당 맞은편, 당숙모가 하는 남촌집 식당에서 일하게 되었습니다.

부모 없는 자식이란 소리를 듣지 않기 위해 나와 동생들은 더욱 열심히 성실하게 살았습니다. 모두들 무탈하게 청소년기를 잘 보내준 동생들에게 누나와 언니로서 항상 고마워합니다.

<이명숙 결혼 전 사진>

1977년 아버지 친구 분의 소개로 지금의 남편을 만나 결혼을 했습니다. 남편이 나이가 나보다 10살이 위고, 밑으로 시동생들도 많고 가난한 공무원이라 내 동생들은 결혼하지 말라고 말렸지만, 나는 동생들에게 의지가 되는 아버지 같은, 오빠나 형 같은 역할을 해줄 수 있을 거 같아서 결혼을 했습니다. 하지만 내 기대와는 달리 남편은 무뚝뚝하고 아내에 대한 배려심이 없는 남자여서 죽기전에 남편으로부터 아기자기 배려받아 봤으면 하는 게 소원입니다.

결혼 후 몇 곳의 월세방을 돌고 돌아 현재의 신길동 품세리 마을에 정착하게 되었습니다. 현재 살고있는 신길동 품세리마을의 이집은 우리 부부가 계를 부은 돈을 보태 시아버지께서 사주셨습니다.

셋방을 벗어나 처음으로 자기 집을 갖게 된 나는 세상 부러울 것 없이 없었습니다. 우리 가족만의 보금자리가 생겼다는 것 만으로도 기쁘고, 설레고, 행복했습니다. 집을 마련해 주신 시아버지께 고마운 마음에 꽃 만드는 부업을 하며 빚을 갚고, 살림살이를 하나씩 살 때마다 시댁에 먼저 사드리고 내 것을 샀습니다.

난 집을 팔아 옮기면서 재산을 불리고 싶었는데, 우직하고 원칙적인 남편은 공무원 신분으로 그런 짓하면 안된다고 하면서 그럴 꺼면 이혼하자고 하면서 이혼서류를 내미는 것이었습니다. 그 뒤로는 흔히들 하는 투기를 위한 부동산 매매는 한 번도 꺼내 보지도 못했습니다.

당시에는 매우 섭섭하고 원망스럽기도 했지만 이제와서 생각해보면 그런 원칙적인 남편 덕분에 아들딸이 다들 올곧게 성장할 수 있지 않았나 생각되어 고맙기도 합니다.

<신축하기 전 지금 살고 있는 집 옥상에서 두 아이들>

43년을 살아온 이 집은 가족의 삶의 흔적이 담긴 터전

43년 동안 이 집에 살면서 한 번은 증축하고 살다가, 아예 철거한 후 다시 신축을 했습니다. 처음 집을 살 때는 슬레이트 지붕이었는데 증축을 하여 세를 주었습니다. 1996년에 기존 건물을 헐고 현재의 건물도 재건축을 했습니다. 대지경계가 연접한 마을이라서 공사 진행 간에 민원이 들어와서 한 달 동안, 공사를 쉬기도 했었고 설계변경을 해서 집을 짓느라 마음고생도 많이 하고 비용도 생각보다 많이 들어갔습니다.

집을 짓는 동안 세간을 맡겨 둘 곳이 마땅찮아서 세간살이를 거의 다 버리거나, 나눠주어서 새로 입주할 때는 옷 보따리하고 이불만 들고 들어가게 생겼습니다. 세간살이와 공사비 잔액을 마련하기 위해 신협에 대출을 알아봤는데 담보를 요구해서 남편이 안 된다고 하여 한바탕 난리를 피우고 겨우 대출을 받았습니다. 건축 공사 기간이 길어져서 대출받은 돈은 공사비로 대부분 들어가고 카드로 세간살이를 사서 카드 값을 내고나니 여윳돈이 3~4만원밖에 남지 않았습니다. 박봉의 남편 공무원 월급으로는 건축공사 빚 갚기는커녕 세간살이 장만도 제대로 할 수 없을 것 같아서 가족의 반대에도 불구하고 여의도로 파출부 생활을 10년 동안 했습니다.

파출부 생활을 하면서도 남편 허락 없이 내 맘대로 쓸 수 있는 나만의 돈이 생기게 되니, 육체적으로는 힘이 들었어도 정신적으로는 활기가 돌았습니다. 내가 일한 댓가로 번 돈이라는 생각에 가족을 위해 쓸때도 더욱 뿌듯했고 행복했습니다.

<결혼사진 때 가족과 친척 어르신들의 모습>

시댁에 처음 인사를 갔는데 청주한씨 양반집이었습니다. 시아버지는 나를 사랑방에 남편과 같이 들여보내고는 꿀에다 인삼을 잰 것을 넣어 주시곤 밖에서 문을 잠그셨습니다. 그렇게 남편과의 결혼 생활은 시작됐습니다.

사랑스러운 딸과 아들, 시댁 식구의 성장사가 담긴 집

1977년 11월 23일 사랑스럽고 보석 같은 딸을 낳았습니다. 나는 딸을 낳아 너무 좋은데, 우리 아버님은 딸을 낳아 섭섭하다고 고기 대신 사과 5개를 사 오셔서 아들 낳으면 고기 사주겠다고 약속하셨습니다. 아주 봉건적 남녀차별의식이 강했던 시아버지가 원망스러웠던 일도 있었습니다.

내가 임신 6개월 때인데 영등포역에서 신길동까지 약 2km 정도 거리를 쌀을 머리에 이고 걸어 와 유산 기운이 있어 병원에 입원한 적도 있었습니다. 며느리가 임신 중이면 택시를 탈만도 한 데 언제 돈 모아서 부자 되냐며 걸어가라고 해서 결국 병원 신세를 졌습니다. 아버님 생각엔 젊은 며느리에게 알뜰한 경제생활 태도를 익혀줄 생각이셨는데, 지나치셨던 것이지요.

그러던 1980년 시아버님이 기뻐하신 날이 있었지요. 시아버지께서 기다리던 손자를 제가 낳았습니다. 그날 난 산후조리 때 먹기 위해서 출산 전에 미리 시장가서 미역을 사서 병원에 들렀더니, 의사 선생님이 아이가 금방 나온다고 집에 가면 안 된다고 했는데, 당시에 집에 도와줄 사람이 없어서 서둘러서 내가 집에 들러서 모든 준비를 해서 병원에 도착하니, 15분 만에 3.3Kg 아들을 낳았습니다.

아들 낳았다는 말에 기분이 좋으신 우리 시아버님은 다음날 소고기 한 근과 산후에 좋은 한약재도 지어 가지고 오셨습니다. 그리고 같은 달에 우리 시동생도 성균관대에 합격해서 경사가 겹쳐서 기쁨이 두 배가 되었습니다.

사실 시아버지께서 이 집을 사주신 이후에 지방에 있던 시댁 식구들이 서울로 학교를 다니거나, 직장에 다닐 때 우리 집의 한쪽 방은 시댁 식구 전용 게스트룸 이었습니다. 사람만 잠시 다녀가는 게스트룸이 아닌 몇 년 동안 같이 살면서 뒷바라지를 해야 하는 시댁식구 봉양이었습니다.

큰 시누이 아들 둘과 막내시누이 딸, 넷째 작은 시아버님의 딸, 시동생 등 시댁 식구 분들의 체취가 이 집에 고스란히 담겨 있습니다. 좁은 집의 마루방이 불편했음에도 불구하고 시댁 식구 분들이 이 집에서 자신의 꿈을 이뤄갔던 공간이라는 점에 소중한 추억으로 남습니다.

30~40대에는 우리 집은 조카들이 거쳐 지나가는 정거장이었습니다. 시누이 딸에 시동생까지 시댁식구 모두 합쳐 9명이 거쳐 가는 동안 꽃다운 나의 삶도 그렇게 흘러갔습니다.

시아버님이 남편에게 이집을 사주셨기 때문에 시댁 식구분들과 함께 지내는 것을 나는 운명처럼 받아들였고 아무 말 없이 시댁 식구들 뒷바라지를 했습니다. 같이 생활하는 과정에서도 다소 서운했던 일도 있었겠지만 세월이 약인지라 지금은 모두 결혼해서 가정을 이루며 잘 살고 있습니다.

많은 추억과 나의 노고, 아버님의 배려가 이집에 고스란히 살아 숨 쉬고 있습니다. 서로 고생했다 말은 안 해도 침묵에 미소지을 때도 있습니다. 그때는 정말 힘들었지만, 우리 집을 다녀간 시댁식구들이 그때의 수고스러움을 잊지 않고 감사하다는 덕담을 해주실 때 보람을 느끼곤 합니다.

그러고 보니 이 집은 우리 가족 뿐 만 아닌 시댁식구들의 서울 성장사의 흔적이 남아있기도 합니다. 우리 가족에겐 정말 소중한 문화 유산이지요.

1988년 11월, 우리 집 한쪽 방에서 7년을 같이 산 시동생이 장가를 갔습니다. 예전부터 시골에서 논 팔아서 집도 사고 시동생 학원비와 생활비를 대주시다 보니, 시동생이 장가갈 때도 그렇게 넉넉하질 못했습니다. 그래서 시아버님은 시동생 장가가는 날, 식탁 의자를 붙들고 '내 몸이라도 살 사람 있으면 팔아서라도 아파트를 하나 사줬으면 좋겠다.'고 하시며 우셔서 참 마음이 아팠습니다. 아들이 기죽을 것 같아 신경이 많이 쓰이신 것 같았습니다.

시아버님은 시골에서 쌀이랑 양념을 다 보내주셨습니다. 가끔 편지도 보내셨습니다. "수미 엄마야~ 경제적으로 살아야 한다."고 보내셨습니다.

시아버님은 아이들 이름도 직접 지어주셨습니다. 나의 분신인 큰딸 수미, 나의 든든한 버팀목인 아들 경돈, 수미는 글짓기를 참 잘하더니 대학원도 창작학과를 나왔습니다.

그런데 무얼 공부했는가가 중요한 것은 아닌 것 같아요. 딸은 창작학과를 전공한 후 지금은 은행에 근무하고 있습니다.

아들 경돈이는 중학교 3학년 때 IQ가 145였습니다. 자기가 하고자 마음먹으면 열심히 노력하고 성실한 성품이어서 자신의 꿈인 경찰대를 가려다가, 아버지가 재수를 시켜주지 않아 광운대 물리학과를 갔습니다. 고등학교 때는 수학이 5등이어서 다시 태어나면 수학과 교수를 하고 싶다고 했는데 지금은 전공과는 전혀 다른 분야인 현대미술관에서 근무하고 있습니다.

지금도 아들 딸이 자랄 때 뛰어 다니던 우리 집 곳곳을 바라보면 우리 아들딸의 어린 시절 잔상이 떠 오릅니다. 먼 훗날 우리 아들 딸이 나와 남편이 살던 방을 돌아보면서 우리 부부를 회상해 줄 수 있었으면 하는 바램도 가져봅니다.

이런 소중한 가족사의 흔적이 담긴 이 집을 무지막지한 천민 자본주의식 개발을 통해 헐어버린다면, 그것은 바로 우리 가족의 성장사와 추억이 담긴 가족의 역사문화를 파괴하는 것과 다를 바 없는 것이라고 생각합니다.

그건 개발이 아닌 파괴라고 생각합니다.

<아들, 딸과 함께 한 가족 여행사진>

나의 행복가치에 부합하는 집과 마을, 그리고 도시재생

돌이켜보면 1976년부터 살아온 이 품세리 마을과 이 집에서 내 아이들과 남편과 내 인생 2/3를 함께 했습니다. 신길5동 품세리마을은 내 나이 30대부터 지금까지 삶의 희노애락을 같이 한 곳입니다. 이곳에서 지난 43년 동안을 같이 정 들이며 살아온 마을 이웃들이 한 분씩 세상을 뜨신 분들이 어느 새 100분 정도는 되는 것 같습니다.

그리고 별세하신 분들을 어쩌다 떠올릴 때, 문득 나는 내가 죽고 나도 나를 기억해 줄 이웃이 있을까 라는 생각에, 세상에서 제일 행복한 사람은 죽어서도 영원히 잊혀지지 않는 사람이며, 이런 사람이 되기 위해서라도 이웃들과 더욱 정을 나누면서 살아가야겠다는 마음을 다지곤 했습니다.

사람이 나이가 들면 세월의 흐름도 빨라진다고 하더니, 젊은 신혼 때 시작했던 이 집의 역사만큼이나 나의 삶도 어느 덧 칠순을 넘어섰습니다. 이제 한 사람의 노인이 되어 남은 여생 신길5동 품세리 마을의 든든한 버팀목이 되어야겠다는 생각을 해봅니다.

나의 집은 나에게는 나의 삶의 족적이 고스란히 담겨있고, 아이들과 시댁식구들의 성장사가 남아 있는 소중한 추억덩어리입니다. 그리고 경제적으로도 자식보다 효자노릇 한다는 월세

연금의 수익원이기도 합니다.

고지식한 남편과 완고하신 시아버님 덕에 나름대로 마음 고생 해가면서 내 평생을 갈고 닦은 집이기에 다른 데로 이사 가서 산다는 것은 상상도 못 해 봤습니다. 이곳이 나의 삶의 터전이고 나의 일생을 이 곳 에서 마치고 싶습니다.

몇 년 전에 나는 우울증이 생겨서 강남성심병원으로 치료를 하러 다녔습니다. 그러나 2년 전 도시재생 사업을 시작하면서 알게 된 많은 이웃들과의 정 나눔과, 교류는 정서적으로 큰 도움이 되었으며 이와 함께 걷기, 단전호흡, 노래 교실 등을 통해 신체건강과 자기 효능감을 되찾기 위한 다양한 활동을 하고 있습니다. 이런 생활들이 노년의 삶을 지내고 있는 나에게 새로운 활력소가 되고 있습니다.

칠순이 훨씬 넘은 나는 아직도 배움에 목말라 있습니다. 젊었을 적 먹고 사는 게 힘들어 뒷전이었던 공부를 계속하고 싶습니다. 성당에서 레지오 반장을 하다 보면 서적이나 성경을 적을 때, 가끔 막히기도 하고 아이들과 대화할 때도 힘들 때가 있습니다. 그럴 때면 혼자 깜깜한 밤을 걸어 다니는 느낌이 듭니다. 많이 보고, 많이 듣고, 자기효능감을 느낄 수 있는 삶을 살고 싶습니다.

지금 다니고 있는 성당에서 장례를 치르는 유가족들에 대한 초상 봉사를 하는데, 돌아가신 분을 위한 장례가 아닌 유가족을 위한 장례가 되는 모습이 씁쓸하기도 합니다.

지역 사회와 가족, 친구들로 부터 쉽게 잊혀지는 망자는 죽어서도 불행할 것 같습니다.

가끔씩 문득 내가 어릴 때 고생을 해서 육신이나 영혼이 얼마나 편할 수 있을까? 나는 언제 편할 수 있을까? 하는 생각을 하곤 하는데, 내 아이들도 내가 죽으면 성당에서 장례를 해줬으면 좋겠습니다. 그리고 내 아이들 가슴속에 잊혀 지지 않는 엄마로 남아있기를 바랍니다.

서강대 장영희 교수의 시 구절처럼 내가 인생을 살아보니, 후손들에게 “인생에서 행복은 소박하게 욕심 없이 물 흐르듯 평범하게 사는 것, 남한테 상처 주지 않으며 항상 만족해하며 사는 것”이라고 당부하고 싶습니다.

뜻하지 않게 마을기획단의 권유로 자서전을 쓰게 되면서 제 삶을 돌아보게 되었던 것에 감사하며, 앞으로 나는 마을사람들에게 내가 죽더라도 오랫동안 나를 기억해 줄 수 있는 행복한 사람으로 살아가고 싶습니다. 지난 2년의 우리마을의 도시재생 사업은 이렇듯 평범한 시민들에게 행복이 무엇인지를 생각하게 해주었다는 점에서 뿌듯하고, 감사합니다.

타임머신이 있다면, 그리고 남은 여생의 소원

나에게 단 한번 과거로 돌아갈 수 있는 타임머신이 있다면 나는 주저 없이 신혼 때로 돌아가 남편과 나의 아들, 딸 이렇게 4식구만 온전히 살아 보고 싶습니다.

시댁식구와 함께 한 소중한 추억도 나름 의미가 있지만, 우리 가족만의 시간이 너무도 그립습니다. 이제 같이 사는 시댁식구도 없고 아들, 딸들도 중년에 접어들고 있지만 젊은 시절 아이들과 함께 우리 가족만의 추억을 만들어 보고 싶은 생각이 듭니다.

몸은 칠순이 넘었으되 마음은 여전히 신혼주부 시절에 멈춰있는 듯합니다. 이 마을에 살면서 꼭 이뤄보고 싶은 몇 가지 소원이 있는데, 그 중 제일먼저 이루고 싶은 것은 지금이라도 남편과 함께 신혼여행을 가보고 싶습니다. 신혼여행을 못가서 남편과 단둘이 가보고 싶고, 우리 아이들과 같이 오붓하게 조용히 살아보고 싶습니다. 세월이 흘러 내가 세상을 떠나도, 간직하고 싶은 남편과 아이들과의 사랑, 시댁식구들과의 추억을 담아가고 싶습니다.

나의 자손들에게 전하고 싶은 말이 있다면 사람은 정도를 걸어야 한다는 말을 해주고 싶습니다. 내가 살아보니 언행을 바르게 하고, 세속적 욕심을 버리고 성실하게 살아 가다보면 오르고 내리는 험한 등산길처럼 어떤 어려움도 인내와 노력으로 극복해 나갈 수 있다는 사실을 깨달았습니다.

처음 써보는 자서전이어서 두서없지만 옛 추억을 회상하고 내 삶을 돌아볼 수 있는 계기가 된 듯합니다.

" 같은 꿈을 꾸는 사람들이 많아서 행복 "

김선순

겨울인가 싶더니 어느새 꽃 피는 3월, 개나리 피고 목련화 활짝 핀 봄도 지나 여름이네요. 내 나이 일흔, 1949년 8월 19일 밤 태어났어요. 이 나이에 글을 쓰려고 펜을 들었지만, 쉽사리 여백을 채워가기가 힘들게 느껴집니다. 긴 세월 속에 젊은 시절을 회상하면서 지금의 나 자신에 대한 글을 쓰려 합니다.

학교 선생님이 꿈이었던 어린 시절

겨울인가 싶더니 어느새 꽃 피는 3월, 개나리 피고 목련화 활짝 핀 봄도 지나 여름이네요. 내 나이 일흔, 이 나이에 글을 쓰려고 펜을 들었지만, 쉽사리 여백을 채워가기가 힘들게 느껴집니다. 70년이라는 긴 세월 속에 젊은 시절을 회상하면서 지금의 나 자신에 대한 글을 쓰려 합니다.

집 뒷산에는 봄이면 진달래 만발하고, 산이 많아 공기 좋고 살기 좋은, 공장 하나 없는 청정지역 전남 곡성군 오산면 농촌 시골 마을에서 1949년 8월 19일 밤 태어났습니다. 이듬해에 6.25 전쟁이 났습니다. 자라면서 부모님한테 일제강점기 시대 이야기와 6.25 전쟁에 대한 이야기를 들으며 성장했습니다. 봄이면 친구들과 마을 뒷산에서 진달래도 꺾고 냇가에서 버들피리 꺾어 불던 추억이 생생하네요. 초등학교 입학을 8세부터 10세 나이에 해서 친구들 나이가 들쑥날쑥하답니다. 그 시절에는 마을에서 한두 살 나이 차이가 나도 친구처럼 지냈으니까요. 입학하기 전 어머니께서는 저에게 ㄱㄴㄷ, 아야어여 한글을 가르쳐 주셨어요. 어머니 덕분에 학교에서는 공부 잘한다는 말을 들으며 6년 과정을 마쳤지요.

초등학교를 졸업하고 몇몇 친구들은 중학교 진학을 했지만, 저는 집안 살림이 어려워서 중학교를 갈 수 없었습니다. 초등학교 시절에는 공부도 잘하고 어려움 없이 지냈지만, 중학교에 진학하지 못하게 되자 학교 선생님이 되고 싶었던 제 꿈마저 이루지 못하게 되어 실망이 컸습니다. 그러나 공부하고 싶다는 열망을 버리지는 못했어요. 언젠가 기회가 되면 다시 공부를 시작해서 중학교, 고등학교, 대학교까지 갈 거라고 내 자신과 마음속으로 약속했습니다.

내가 중학교 진학을 포기하는 대신 바로 아래 남동생이 중학교에 입학했습니다. 공부를 좋아했던 저는 더 이상 학교를 다닐 수 없다는 사실이 서운했습니다. 오빠는 고모부가 훈장님으로 계시는 서당에 다니면서 한문 공부를 했는데 저도 서당에 가고 싶었지만, 부모님이 보내 주지 않으니 저도 갈 엄두를 내지 못했던 것 같아요. 남동생이 중학교에 다닐 때 남동생이 영어 공부하는 걸 어깨너머로 보고 알파벳을 배우고, 서당에 다니는 오빠를 흉내 내며 혼자서 천자문 공부도 하고 그렇게 보내다 보니 세월은 흘러 결혼할 나이가 되었지요.

1975년 서울로 올라온 우리 식구 대가족

어머니가 우리 딸은 천천히 시집보낼 거라고 하셨는데 결혼 적령기가 되다 보니 중매결혼 혼담이 오고가다 친척의 중매로 22살 섣달 그믐에 결혼을 했지요. 남편은 오형제의 장남이었어요. 부모 슬하에 세상물정 모르고 온실의 화초처럼 자라다 결혼하고 1971년 서울로 상경해 신혼생활이 시작되었지요.

<내 나이 22살, 섣달 그믐에 결혼식 사진>

조그마한 단칸방 살림에 신혼의 꿈을 꿀 새도 없이 1972년 1월에 큰아들이 태어났고, 곧이어 넷째 시동생이 서울로 올라왔습니다. 시골에서 중학교를 졸업했는데 고등학교는 서울에서 다녀야 한다고 하면서 얼마동안 함께 살게 되었습니다. 결혼한 지 얼마 되지 않아 시댁 형편을 제대로 알 수가 없었던 나는 남편이 하자는 대로 따를 수밖에 없었지요. 결혼한 지 1년밖에 안 된 신혼 때, 갓 태어난 아기를 보는 것도 힘든데 시동생 세 명도 가까이서 지내다 보니 심리적으로 마음이 많이 힘들었지요. 그래도 남편이 장남이라 맏며느리인 내가 시동생들을 봐줘야지

하며 살았습니다. 1974년 4월에는 둘째 아들이 태어났어요.

<시아버님 환갑 때 집에서 차린 환갑상>

1973년에는 시어머니께서 아프셔서 한쪽 걸음이 불편해지셨고, 더 이상 농사를 지을 수 없어 서울로 이사하기로 결정했는데, '불행은 혼자 오지 않고 쌍으로 온다.'고 시어머니에 이어 시아버지까지 중풍으로 한쪽 몸이 안 좋아지셨습니다. 그래서 1975년 2월에 시부모님이 서울로 올라오면서 우리 식구는 시부모님과 시동생 셋, 남편과 아들 둘까지 식구 아홉의 대가족이 되었어요. 농사를 짓다가 서울로 올라오신 시어머니께서는 "아픈 내가 뭘 아느냐"며 돈 쓸 일, 대소사 등 집안의 모든 짐을 저에게 떠맡기시더군요. 다행히 애들은 어머님이 봐주셨지요. 결혼 전에 직장을 다녀본 적도 없고, 그동안 아이 둘 낳고 집안 살림만 살았는데 경제라고는 모르던 나는 스물여덟 살 나이에 시댁식구까지 9명의 대가족 집안 살림을 맡아서 해야 했습니다.

내 사정을 아셨던 옆집 아주머니께서 베지밀 판매를 한 번 해보지 않겠냐고 해서 면접을 보았는데 판매사원을 할 것 같지 않다며 남편 승낙은 받았냐고 하시더군요. 그렇게 저의 사회생활이 시작되었어요.

처음 해보는 거라서 할 수 있을까 걱정도 많이 됐지요.

스물여덟 살에 사회생활을 처음 판매사원 일로 시작했어요. 그때부터 집안 경제를 책임져야 했어요. 남편 수입이 많지 않아 빠듯한 생활이었어요. 2년만 해보겠다고 시작한 게 베지밀과 요구르트 판매를 하면서 8년이 가고, 또 화장품 판매원을 2년 하다 보니 십년이란 세월이 흐르더군요.

아들 둘은 잘 자라주었고 시동생 세 명은 결혼해서 분가하니 마음이 좀 편해지더군요. 1990년에 아버지께서 먼저 돌아가시고, 5년 후 시어머니께서도 돌아가셨지요.

55세에 자신만만하게 시작한 공부

1987년 4월 지인의 소개로 용산구 동자동에 조그마한 식품점을 하게 됐어요. 시작한 가게는 장사가 잘 됐어요. 잠자는 시간이 아까울 정도였으니까요. 물건을 정리하고 나면 어느새 새벽 한시, 항상 밤 한시 전에는 자본 적이 없이 그렇게 살다보니 또 다시 23년이란 세월이 지났어요.

1996년 동자동 도시환경 정비 사업으로 5층 건물 철거가 시작되면서 펜스가 가려지고 주위 환경이 어수선해지고 장사 매출은 날이 갈수록 떨어져서 현상유지도 겨우 되었어요. 그러던 중 1998년 IMF가 닥쳤지요. 장사는 개점휴업상태였어요. 견디다 못해 중구 신당동에 살고 있던 아파트를 팔았습니다.

두 아들 대학 졸업하고 나면 공부를 해야겠다고 생각했지만 쉽지가 않았어요. 기회는 하나를 잃으면 하나는 얻는 것 같더군요. 2003년에 큰아들이 결혼하면서 가족이 되어 준 예쁜 며느리가 너무 고마워요. 오랫동안 앞만 보고 정신없이 살다 보니 세월은 흘러 오십이 훌쩍 지나서야 마음의 여유가 생기더군요. 남들 학교 다닐 때에 하지 못했던 공부를 해야겠다고 자신만만하게 55세에 공부를 시작했지만 생각처럼 쉽지는 않았습니다. 배운 것을 기억해야 하는 데 예전처럼 기억력이 좋지 않았어요.

공부를 할 때는 재미있고 할 만한데, 배우고 나면 기억이 없어지고 머릿속에 남아있는 것이 없어졌어요. 학교에 가는 날이면 남편 혼자서 가게를 봐야 했지요. 남편 도움이 없었다면 쉽지 않았을 거예요. 2002년 양원주부학교를 1년 수료하고 다시 2003년 수도중학교 2년 과정을 졸업하고 고등학교도 가야겠다는 욕심이 생겨 2005년 수도여자고등학교 부설 방송통신고등학교를 3년 다니면서 마자렐로 고등학교까지 2년을 겹쳐 다니면서 공부를 했지요. 통신고등학교 다니는 동안 둘째 아들 도움을 많이 받았지요. 카세트며 방송 강의 CD를 만들어 주며 도움을 주었어요. 지금 생각해보면 늦깎이 여고시절, 나이를 떠나 너나 할 것 없이 열심히 공부도 하고, 어려서 못했던 수련회도 가고, 소풍도 가고, 졸업 여행도 가고, 정말 재미있고 보람도 있었지요.

<2005년, 수도 중학교 졸업식에서 꽃다발을 받고>

2008년 방송통신대학 경제학과에 입학을 했지만 1학기를 마치고 공부를 접어야 했어요. 친정어머니께서 뇌병변 2급으로 몸이 불편해지셔서 간호를 해야 했으니까요. 1인 3역 힘든 줄도 모르고 구청에서 운영하는 컴퓨터 교실에 컴퓨터 기초며 포토샵 배우는 게 정말 재미있었어요. 전국주부교실 중앙회에 6개월 과정을 다니면서 재미있게 시간이 지나갔어요.

지금 생각해보니 제 나이 쉰다섯에 공부를 시작했던 것은 못 배운 한을 풀기 위해서였는데, 공부하는 과정에서 큰 깨달음이 있었어요. 비록 공부를 하지 못했지만 내가 인생을 살아오면서 얻는 삶의 지혜가 뒤늦게 시작한 학교공부보다 더욱 소중한 것 같다는 생각입니다. 책을 읽고 공부를 하면서 나의 생각의 폭과 깊이가 넓고 깊어짐에 뿌듯함을 느끼곤 했습니다.

딸자식에게 부족함 없이, 보내주셨던 친정 부모님

친정아버지는 4남매 중 셋째, 어머니는 7남매 중 넷째이셨는데, 아버지 22살, 어머니 18살에 결혼하셨답니다. 어머니는 꽃을 좋아하셨어요. 뒤뜰 장독대에는 항상 예쁜 꽃이 피고 있었지요. 지난 세월 먹고 살기 바빠 친정 나들이는 1년에 한 번, 아버지 생신 때 뵙는 것이 전부였어요. 남편이 장남이고 저는 맏며느리인지라 명절 때면 친정 가는 건 꿈도 꿔 보지 못 했죠. 시부모님으로부터 친정에 다녀오란 말을 한 번도 들어본 거 같지 않아요. 전라남도 곡성군 오산면이 서울에서 멀기도 했지만, 젊은 마음에 섭섭함이 없었다면 거짓말이겠지요.

친정 부모님께서는 많은 연세에도 딸자식에게 된장과 고추장, 간장, 고춧가루, 쌀 등 부족함 없이 매년 보내주셨죠. 항상 어머니께서는 가르치지 못해 미안해하시면서 지금만큼만 살았더라면 중학교, 고등학교를 보내고 선생님도 시켰을 텐데 그러셨죠. 그 시절에는 농촌에서는 봄이면 보리, 가을이면 쌀이 소득이고 돈이었어요. 잘 지내시던 어머니께서 86세 겨울에 병이

나 뇌병변 2급 판정을 받았어요. 아버지께서는 어머니를 많이 의지하고 지내신 것 같았는데 어머님 편찮으시면서 아버지 기력이 많이 약해지셨고, 어머니가 아프신지 7개월 후, 아버지는 28일 동안 자리에 누워 계시다 91세에 돌아가셨지요. 아버지는 어머니하고 70년을 해로하고 떠나셨답니다.

어머니는 강인한 성격이라 자식들에게 짐을 지우지 않으려고 퇴원하면서 고향 시골집으로 가시겠다고 완강히 고집을 부리셨기에 어쩔 수 없이 시골집에서 요양보호를 받으시면서 지내셨지요. 가까운 거리도 아닌 전라도 곡성군 옥과까지 가려면 서울에서 광주에 도착해 다시 광주-옥과 가는 버스를 타고 1시간 거리라 너무 힘든 날이었어요. 부모는 자식 열을 잘 키우셨는데, 열 자식은 부모 한분 모시지 못한다는 게 꼭 맞는 말 같아요. 어머니께서 편찮아지신지 12년이란 시간이 지났어요. 2년 전 척추 시술하고 또 요양병원에 가셨지요. 다리에 힘이 빠져 거동을 할 수 없어 두 달만 있겠다고 한 것이 2년이 되었네요. 어머니 연세 98세, 지금도 전화 드리면 요양병원에 계시면서도 자식들 잘 있는 게 최고라고, 건강하라고 하시죠. 딸로서 우리 어머니께서 돌아가시는 날까지 정신 줄 놓지 않고 계시다 가셨으면 하는 바람입니다.

어머니 생각만 하면 마음 한 구석이 멍하니 먹먹해집니다. 어머니 편찮은지 12년 세월, 광주에 살고 있는 바로 아래 남동생

내외는 지금도 어머니께서 물김치가 있어야 진지를 드신다고 한 주도 거르지 않고 물김치가 떨어질세라 요양병원에 해다 드리고 있답니다. 동생 댁이 정말 고맙고 고맙게 느껴집니다. 동생 내외도 건강하고 행복하게 살았으면 좋겠습니다.

남편한테도 너무 고맙다고 하고 싶어요. 어머니 편찮으신지 12년 긴 세월동안 친정 갈 때마다 기본이 일주일이고 보름이 지날 적도 있어도 불평 한마디 않고 어머니 잘 챙겨 드리고 잘 갔다 오라고 했지요. 그 전에는 남편의 고마움을 별로 몰랐는데 친정어머니가 아프면서 지금에야 고맙다고 한답니다.

<집에서 찍은 친정 부모님의 단란한 모습>

손주들이 와도 뛰어놀기 좋은 다가구주택

신길동에 오빠와 동생이 살고 있어 집을 보러 다니다 신길5동 다가구주택으로 내 나이 53세 되던 해, 2002년 7월 이사를 왔지요. 나이 들어 주택만한 노후 대책이 없다 싶었습니다. 옥상이 있어 좋고 살기 편안하니 '정말 잘했다.' 생각했지요. 신길동 품세리 마을에 온 지 18년이 되었네요. 지하철역도 가깝고 시장도 가까워서 생활하기 편리한 동네에요. 정말 노년을 보낼 수 있는 살기 좋은 마을이랍니다. 우리 부부는 신길5동 품세리 마을, 이 집에서 오래오래 사는 것이 소망이에요. 남편은 여기를 떠나, 딴 곳으로 가서 못 산다고 해요.

우리 집은 편하고 안락한 보금자리입니다. 전에 신당동 아파트에 살 때는 현관문 닫으면 옆에 누가 사는 지도 몰랐습니다. 다가구주택에 살게 되니 1,2층 오가며 이웃도 알게 되고 덤으로 월세까지 들어오니 노후 대책용으로 이보다 좋은 게 없습니다. 아파트는 관리비를 내지만, 주택은 관리비가 없어서 경제적으로도 도움이 됩니다. 무엇보다 집이 넓어서 손주들이 와도 뛰어놀기 좋아요. 아파트였다면 손주들이 할머니, 할아버지 집에 와서 이렇게 재미나게 뛰고 놀 수 있을까요? 애들이 뛰어 노는 모습을 보면 이집에서 살기를 정말 잘했다 싶어요. 또 우리 집은 옥상이 있어서 바람도 쐬고 화분으로 꽃밭을 만들어, 앵두나무도 심고, 장미도 심어 가꾸고 있어요. 옥상에 오를 때면 빨간 빛

깔 앵두를 하나씩 따먹고, 파란 하늘도 한 번씩 쳐다보고, 참 살맛이 납니다. 가끔씩은 부는 바람에 마음 힘든 것도 날려 버립니다. 내 집안에 이런 안식처, 쉼터가 있으니 바랄 것이 없어요.

이집에서 큰아들이 결혼을 하고, 3년을 같이 살았습니다. 내가 신혼시절 시동생 세 명에 시부모님까지 시댁식구들과 함께 살아보니 참 마음 고생이 많았기에 며느리와 같이 사는 3년 동안 나는 시어머니 노릇 하지 말자며 며느리가 우리와 친해지도록 마음을 써주었습니다. 아들, 며느리 데리고 살며 정도 붙이고 돈도 모아서 분가 시켰지요.

같은 꿈을 꾸는 사람들이 많아서 행복

우리 마을에 한 번 이사를 오면 5~6년 이상 살다보니, 이웃 주민들이 정이 들어 가족같이 느껴져서 허물없이 지내요. 골목에서 만나는 주민들은 예전에는 인사 정도만 했지만, 도시재생사업을 하면서 함께 모여 회의도 하고 페인트도 같이 칠하고 하면서 이제는 이름도 알게 되고 서로를 챙기며 더 가깝게 지내게 되었어요.

도시재생 희망돋움 단계를 지나고 희망지사업을 하는 동안 노인정에 모여서 인문학 강좌도 듣고, 스마트폰을 잘 사용하는 교육도 받고, '주택도 하나의 문화'라는 강의도 들었어요. 매주 목요일마다 모여서 마을 주민회의도 하고 재미있는 이야기도 나눠요. 목요일 7시는 세상없어도 마을주민들이 함께 하는 날입니다. 3년 동안 이렇게 반가운 얼굴들을 만나다 보니 한주일이 금방 지나갑니다.

한 달에 한 번씩 마지막 토요일에는 바자회를 열어요. 집집마다 서로 사용하지 않은 물건을 가져와 재활용을 하지요. 난 생활소품, 그릇을 담당하고 있어요. 며느리가 폐백음식을 싸온 예쁜 찬합을 2개 내놓았더니 구절판 그릇하면 좋겠다며 사가는 사람도 있었고, 식당을 정리하며 새것이라 아까워서 모아두었던 나이프와 포크도 바자회에 기증했어요. 집에 쌓여있는 물건을 가져가니 집안 정리도 되고, 필요한 사람은 싼 값에 사서 좋고, 수익금은 마을공동기금으로 모으니 있어서 좋은 취지라는 생각이 들었어요. 아껴두었지만 사용하지 않게 되는 물건들을 바자회에 내놓고 필요한 사람이 사가는 모습을 보면 기분이 좋아져요.

도시재생 하는 것처럼 물건도 재생을 하게 되니까요. 부침개, 떡과 오뎅도 팔아서, 사먹기도 하면서 즐거운 시간을 보내요. 마을잔치 같기도 하고 축제 같기도 하고 주민들이 함께 해서 더 좋아요. 또 우리 마을은 첫째 주 토요일마다 한 달에 한 번씩 대청소를 해서 동네 골목길이 깨끗하게 되어서 분위기가 밝아졌어요. 내 집도 깨끗하게 하고, 골목길도 깨끗하게 청소하는데 마을 어르신들이 솔선수범 하세요.

지금 생각해보면 스트레스가 있는 갱년기였는데도 돈을 벌면서 엄마로, 학생으로 1인 3역하며 앞만 보고 바쁘게 살아온 날들이 좋았구나 그런 생각이 들지요. 제대로 해 준 건 없는 것 같은데 부모 속 한번 썩이지 않고 잘 자라준 두 아들. 예쁜 우리 손녀들. 꿈 많고 성실하게 건강하게 잘 자라고 우리 가족 건강하고 행복했으면 합니다. 지금처럼 행복 가득하기를, 하나 더 욕심이라면 나이 들어 무병하며 질병 없이 건강하게 여생을 보내는 것이 바람입니다. 내 나이 71세. 내 이름 '김선순'을 불러 주는 마을 이웃 친구들이 있어 좋네요. 주위에 계시는 분들께서도 건강하시고 행복이 가득하시길 바랍니다.

사람이 살면서 복이 많으면 행복하다고 합니다. 재산이 많아도 사회적인 지위가 높아도 불행한 사람들도 있습니다. 나는 복 중에 사람 복이 최고라고 생각합니다. 만나면 반갑고 서로를 알아주는 사람이 많아서 행복하고, 함께 하는 것이 즐겁고 지금 살고 있는 집에서 오랫동안 살고 싶은 같은 꿈을 가지고 있어서 행복합니다. 이런 꿈을 꾸는 사람들이 우리 마을에 많아서 나는 그분들과 더불어 더욱 행복합니다.

<품세리마을 바자회에서 활동하는 김선순님>

" 집은 우리 가족의 추억 앨범 "

정옥희

친정어머님도 모셨던 20년 신길동 우리 집은 나한테는 안식처입니다. 마음이 편안하기 때문입니다. 세월 따라 나이든 집에서 고장 난 곳을 고쳐 가며 잘 살아왔습니다. 우리 집은 빛이 잘 들어와서 겨울에도 복도가 따뜻하고 밝아서 참 좋습니다. 누구는 이집을 허물고 아파트를 짓자고 하는데 우리 가족의 추억이 담긴 이 집을 허무는 것은 원치 않고, 이웃들과도 헤어지고 싶지도 않습니다.

8살 때 아버지를 잃었던 아픈 상처가 있어요

경남 하동군 고전면 207번지가 제가 태어난 곳의 주소입니다. 딸 다섯 중에 셋째 딸로 태어났습니다. 나를 나아주신 어머니가 약간 정신지체가 있어서 어머니 대신 외할머님께서 우리를 많이 돌봐주셨습니다. 아버지는 6.25 당시 지리산 근처에서 빨갱이한테 잡혀가 매를 맞고 심한 고문을 당해서 몇 년 동안 크게 아프시다가 큰 집에서 돌아가셨습니다. 당시 우리는 외갓집 근처에 살고 있었고, 아버지가 계셨던 큰집까지는 재를 두어 고개 넘어가야 했습니다. 아버지께서 돌아가셨다는 소식을 듣고 엄마는 2살짜리 막내 동생을 업고 산 고개를 넘어가서 아버지 장례를 치르고 오셨어요. 그때, 내 나이 8살이었는데 나도, 동생들도 너무 어려서 아버지의 얼굴을 기억하지 못한답니다.

아버지가 고문 후유증으로 일찍 돌아가셨고, 어머니는 정신이 온전치 못해서 경제활동을 할 수 없어서 우리 집은 항상 가난했습니다. 그래서 우리집 형편상 먹을 입 하나라도 덜어야 했었기에, 나는 친구들이 초등학교에 갈 나이에 가족들과 떨어져서 부산에 살고 있는 어느 피난민 집에 가서 아기를 봐주는 일을 하며 살았습니다. 어린나이에 낮엔 아기를 돌봐주는 일을 하고 야간에 고등공민학교를 다니며 국민학교 과정을 졸업하게 되었습니다.

어머니가 우리를 보살펴 줄 수 없었기 때문에 우리 다섯 자매는 한집에서 같이 살지 못하고 어려서부터 각각 남의집살이를 하였답니다. 한 뱃속에서 나왔지만 한집에서 살지 못하고 각각 남의 집에 떨어져 살면서 가난하고 힘든 어린 시절을 보냈기에 지금도 우리 자매는 서로를 애틋하게 생각합니다. 그런 가운데 넷째는 암으로 2009년에 하늘나라로 먼저 갔습니다. 지금은 자매 넷이서 만나 밥도 먹고, 어머니와 동생이 묻혀 있는 산소에 가곤 합니다.

<어머님 회갑 때 다섯자매가 함께 한 사진>

남의 집 아기 보는 일을 그만두게 되면서 외삼촌의 도움으로 부산 농협공판장의 전화교환원으로 취직을 했습니다. 늘 배우는 것이 기쁘고 또래 친구들이 학교에 다니는 것이 부러웠기에 밤에는 야간고등학교(훈성여자고등학교)에 다니며 공부했습니다. 학교졸업장도 필요했기 때문에 내 공부도 해야 하고, 집안의 가장으로 동생 학비를 벌어야 했기에 너무 어려운 생활을 오

랫동안 계속 해야 했습니다.

<1960년 야간 고등학교 시절>
(훈성여자고등학교)

부산의 생활을 정리하고 서울로 이사를 오면서 삼촌의 도움으로 구로공단본부의 교환원으로 10년을 일했습니다. 주경야독하며 낮엔 일하고 밤에 공부하였기에 동생의 학비도 대줄 수 있었고 나도 고등학교 졸업장을 받을 수 있었습니다. 학비를 대준 막내 동생은 공부도 잘 해서 교육대학교를 졸업하고 초등학교 교사가 되었습니다. 언니 역할, 엄마 역할을 하며 막내 동생을 공부시켰는데 그 동생이 지금은 교직에서 은퇴하고 어느덧 할머니가 되었습니다.

85세 할머니를 돌봐드리며 85세의 내 모습을 떠올려

아버지가 일찍 돌아가셨고, 어머니가 경제활동을 할 수 없어서 우리 자매들은 어릴 때부터 스스로 집안 경제를 돕기 위해 소녀 가장 역할을 하며 살아왔습니다. 부모의 보살핌을 받기 보다는 생존을 위해 늘 일을 하며 살아왔기에 지금도 습관처럼 일을 놓지 않고 계속 하고 있습니다.

그런데 주변에 혼자 생활하는 게 어려운 사람들이 너무 많았습니다. 우울증 환자, 치매 환자, 편마비 환자......그들을 돌보며 요양보호사 일을 시작한지 10년째입니다. 어머니가 온전치 못하였기에 늘 어머니 같은 사람을 보면 그들에게 마음이 먼저 갔고, 조금이라도 도와주고 싶었습니다. 그런 마음 때문인가 요양보호사 일을 하면서도 어떻게 하면 그들에게 힘이 되어줄까 생각합니다.

지금은 문래동에 혼자 사시는 85세 할머니를 돌봐 드리고 있습니다. 나보다 10살 많은데 너무 불쌍합니다. 아들 둘 다 먼저 보내고 치매기도 있으며, 다리를 못 쓰는 2급 환자라 국가의 도움 없이는 안 되는 분이에요. 내가 건강해서 이 분의 다리도 되고 손이 되어 드릴 수 있어서 뿌듯한 마음이 듭니다. 내 나이가 85세가 되면 나는 어떻게 살고 있을까? 그 때도 살아 있을까? 그때 내 옆에는 누가 있어서 날 지켜줄까? 지금처럼 일을 하며 계속 건강을 유지한다면 혼자서도 밥을 먹을 수 있고, 가끔 친구들을 만나기 위해 외출도 하며, 행복하게 살고 있을까? 85세 할머니를 돌봐 드리며 10년 뒤 85세가 되어있을 나의 모습을 떠올립니다.

나의 하루 중에 4시간이 이 할머니를 위한 시간입니다. 할머니와 함께 하는 동안 2시간은 걷는 연습을 도와드리고, 2시간은 식사를 하실 수 있도록 밥과 반찬을 해드리고, 목욕도 시켜 드립니다. 내가 없으면 이분은 어떻게 사실까? 처음에는 할머니가 안타깝고 마음이 안돼서 옆에서 보는 내가 더 스트레스를 받았는데, 오래 만나다 보니 할머니를 있는 그대로 이해하게 되었고 지금은 마음을 비우고 할머니의 입장에서 살펴드리고 있습니다.

하루는 할머니에게 머리를 무료로 잘라주는 곳이 있으니 문래동 복지관에 함께 가자고 얘기했더니 자존심이 강한 분이라 '내 머리가 보기 싫으면 안 오면 되지'하며 싫어하셨습니다. 또 다른 날은 할머니가 파마를 하고 싶다고 하여, 진짜 가격이 저렴한 곳을 찾아 2만원에 해주는 곳으로 모시고 갔습니다. 그전에 2만원에 파마를 해준다는 곳을 찾아서 딸이 데리고 갔는데 나중에 실제 3만 5천원을 냈다며 할머니는 파마비 만원도 너무 아까워했습니다. 할머니는 반찬도 많이 못 만들게 합니다. 돈 쓴다고, 반찬 많이 해서 버린다고 합니다. 그런 할머니를 이해하기에 우리 집에서 할머니가 드실 반찬을 가져가기도 합니다. 나는 할머니가 좋습니다. 지금 할머니에게 정이 들어 돌아가실 때까지 돌봐드릴 생각입니다. 할머니를 보고 있으면 결혼 후 지금의 신길동 집에서 모시던 어머니 생각도 나고, 엄마 대신 우리를 돌봐 주시던 외할머니 생각도 납니다.

외할머니 중매로 남편과 결혼하다

<1972년 10월 14일 남편과 결혼사진>

나는 외할머니 중매로 지금의 남편인 이삼준 씨와 결혼을 하고 아들 둘을 낳아서 결혼시키고, 지금은 예쁜 손주가 세 명이 있습니다.

내 남편은 어린 시절 6.25전쟁과정에서 부모를 여의고 미 8군 I.C.C 부대에서 자랐는데 미군들이 본국으로 돌아가면서 부산 고아원에서 지냈으며 중학교, 고등학교, 대학교를 마치고서 생업으로 목수 일을 배웠답니다. 마음은 여리면서도 성격은 다혈질 성격이기 때문에 참으로, 내가 힘이 많이 들었어요. 그렇지만 남편도 고아로 생활하면서 얼마나 외롭게 컸을까를 생각하면 어렸을 적 못부린 투정도 부려보고 싶어서 일까 라고 생각하면서 이해하곤 했습니다.

이 모든 것이 6.25 전쟁의 아픈 상처지요. 나의 아버지는 빨갱이들에게 당한 고문으로 일찍 돌아가시고, 남편도 6.25로 고아로 성장했으니 우리 둘 다 우리나라의 아픈 상처 그 자체라고 볼 수 있어요.

외할머니도 나이가 드시면서 지능이 낮은 딸을 계속 돌보는 게 힘들어지자 딸을 맡기려는 생각에 나를 그 사람과 결혼하라고 했습니다. 경상도 사나이 똥고집에다가 돈 버는 것과는 거리가 멀고, 오히려 돈쓰고 놀기 좋아해서 때로는 6살 먹은 애 같이 자기만 생각해서 야속하기만 했습니다.

그나마 세월이 흘러 남편도 현실에 눈뜨고 철들만 하니까 야속하게도 이제는 치매 초기 진단을 받았습니다. 치매 증세를 보이는 남편을 보면서 원망보다는 측은지정이 앞서는 것 보면 오랜 세월 함께한 부부의 정이 이런 것 아닌가 생각합니다.

빚을 안겨준 아들에게 안스러움이 앞서는 어미의 마음

나는 아들이 둘인데 지금 큰아들이 항상 걱정입니다. 사업을 하다가 실패하여 여기저기 빚만 잔뜩 지고 그 사업빚을 내가 떠안아 아직까지 모두 갚지를 못해 어려움이 많습니다.

큰아들이 몇 년 전 사업한다고 해서 돈을 보태줬는데 얼마못가서 망했습니다. 남편은 왜 그랬느냐며 야단을 치지만, 빚 해결은 못해줍니다. 처음에 사업자등록을 처남 명의로 했었는데, 엄마 명의로 해달라고 해서 내 명의로 해줬더니 세금처리를 안 해서 내 앞으로 돈을 갚으라는 고지서가 날아왔습니다. 2018년 말까지 아들 세금 다 갚아주고 아직도 빚이 1,050만원 남았습니다. 처음 사업자등록을 내 이름으로 낼 때는 아들이 같이 사업하자며 월급 1백만 원을 주겠다고 했는데, 이제는 큰아들은 면목이 없어서인지 집에도 오지 않고 며느리만 가끔 옵니다. 그런 며느리가 고마워 내가 '네가 우리 아들하고 살아줘서 고맙다' 하면 큰며느리는 '아들보다 어머니 보고 결혼 했어요.'라고 말합니다. 큰며느리는 친정엄마가 일찍 돌아가셔서 '내가 더 마음을 써야겠구나.'싶습니다. 가끔은 큰며느리에게 섭섭한 일도 있었지만 '아들이 잘못하니 그렇지.' 하며 넘깁니다.

큰아들이 또 "돈 좀......" 하여서 "이 다음에 내 납골당에 와서 돈 달라고 해라."하고 외면했습니다. 그저 아들이 해달라는 대로 해주는 게 아들을 위하는 건줄 알았던 내 욕심이 아들을 그렇게 만든 것 같아서 때로는 후회도 많이 한답니다.

가족밖에 모르는 작은 아들은 효자 노릇을 합니다. 교회도 다니며 신앙심으로 잘 이겨내고 있습니다. 속상한 일이 있어도 부모가 걱정할 까봐서 혼자 해결하고 말을 안 합니다. 이 집을 자식들 물려줄 생각 말고 엄마 몫으로 살라고 말합니다. 엄마가 건강하게 살아 있는 것만으로도 좋다고 합니다. 작은 며느리도

착하고 좋습니다. 거실에서 추석 명절 음식을 만들다가 며느리가 급한 마음에 음식을 뛰어 넘어가기도 했는데 그게 밉지 않고 예뻐 보였습니다. 난 딸이 없어서 며느리를 딸처럼 예뻐합니다. 딸을 둘 낳은 큰언니가 너무 부러웠고, 조카딸들이 그렇게 예뻤습니다. 예전에 문방구할 때, 큰 언니 딸들에게 학용품을 많이 대 주었습니다. 그 기억을 생각하며 지금도 조카딸들은 나를 만나면 용돈을 하라며 슬그머니 10만원씩 주머니에 넣어줍니다. 딸 같은 조카들입니다.

옛날에 외할머니가 '너는 닭띠가 되어서 먹이를 모아 놓으면 옆에서 다 헤쳐 버린다.'고 하였어요. 지금 그 말을 가만히 생각해보면 어떻게 기막히게 맞는지 모릅니다.

젊을 때 내가 일해서 돈을 조금 모을만하면 놀기 좋아하는 남편이 흔적도 없이 써버리고, 이제는 늙은 내가 일해서 번 돈을 노후를 위해 모아두고 싶은데 모아둔 먹이를 헤쳐 버리듯 큰 아들 빚잔치하느라 모두 빠져나가더군요.

좋게 생각하면 아직 우리 남편과 아들에게 내가 꼭필요한 존재구나 라고 생각할 수 있지만, 어떤 때는 "아이고 내 팔자야" 하면서 스스로 한탄도 원망도 하기도 하지요.

그러나 지금은 어려운 내 큰 아들이 언제가는 반드시 버젓하게 일어서서 그동안 맘 고생시켰던 이 어미에게 보답할 것이라고 생각하고 그렇게 믿고 있어요. 우리 큰아들이 잘되기를 늘 맘속으로 기도하고 있습니다. 내가 남편을 이해하듯이 우리 큰 아들도 원망의 대상이 아니라, 안스러움이 더 큽니다. 우리 큰 아들이 스스로 더 단단해졌으면 좋겠어요

그리고 아직 내가 건강해서 일할 수 있고, 내가 돌봐 드리는 할머니가 하루하루 나를 기다리며 나를 필요로 하니 내가 스스로 감사할 따름입니다. 이제 내 나이 75세가 되니 가끔은 힘도 들지만, 그래도 감사할 일이 더 많다고 생각합니다.

<둘째 아들과 지금 중학생이 된 손자와 함께>

우리가 직접 짓고 친정어머니를 보내드린 우리 집

신길동에 이사 온 지도 20년이 되었습니다. 이 집을 살 때, 당시 집 짓는 과정에서 앞집과의 분쟁 때문에 건축물 등기도 안

된 집이었습니다. 공사가 중단된 상태의 집이라서 싸게 샀지만, 손볼 곳이 너무 많았습니다. 다행히 남편이 목수 일을 했기에 우리 부부가 직접 손으로 고치고 문짝도 새로 달고 샷시도 했습니다. 공사를 마감하느라 돈이 많이 들었지만, 남편과 내손으로 집을 다듬고 손질하면서 무척 공을 들였습니다.

반지하가 있는 2층 집인데 지금은 다섯 가구가 삽니다. 신길동 이집에서 친정엄마를 오랫동안 모셨습니다. 치매에 걸린 데다 내가 요양보호사 일을 하고 있어서 모셨는데 마지막에는 요양원에서 5년 계시다 97세에 돌아가셨습니다. 정신지체가 있는 친정엄마를 모시는데 애를 많이 먹었는데 다행히 남편이 잘 이해해 주었습니다. 남편한테 그 점은 참 고맙게 생각합니다.

정신지체가 있었던 엄마는 다른 사람들에게는 부족한 사람이었지만 우리에게는 본능적인 모성으로 감싸 안아주었습니다. 경제능력이 없었기에 어린 나이에 뿔뿔이 흩어져 살았지만 우리 형제 그 누구도 이런 엄마를 탓하지 않았습니다. 평상시 엄마를 보러 요양원에 걸어 올라갔을 때는 몰랐는데, 장례를 치르고 유품을 정리하러 올라갈 때는 왜 그리 요양원 언덕길이 힘들게 느껴졌는지 모릅니다. 집에 돌아와서도 엄마가 있던 방을 돌아보면 엄마가 누워 나를 물끄러미 바라보시던 모습이 기억나 한참을 울었습니다.

<친정 어머니를 모시고 살던 시절, 보라매공원에서>

살아오면서 제일 잘한 일이 이 집으로 이사 온 것

살아오면서 제일 잘한 일이 이 집을 사서 이사 온 것입니다. 집에서 친정어머니도 모셨고 남편과 나도 지금껏 잘 살고 있고, 아들 둘 다 결혼을 시켰으며 손주들도 이집에서 보았습니다. 손자, 손녀가 할머니 집에 가면 먹을 게 많아서 참 좋다고 합니다. 나도 이집이 좋습니다. 이집에서 살아온 세월 그 자체가 우리 가족의 살아있는 역사입니다. 이집에서 노년의 어머니를 모시며 하루하루 보내던 기억, 짓다만 집을 사서 목수 남편이 하나하나 손으로 집을 완성해가던 장면들, 아들 둘에 며느리 둘, 새사람이 들어오고, 손주, 손녀까지 태어나고 자라면서 4대째 이어지는 가족의 성장 추억들이 고스란히 이 집에 담겨있습니다.

이집의 주인은 나와 남편이고, 앞으로도 변함없이 우리 집일 겁니다. 이집이 복덩이라서 그런지 지금까지 살아온 일도 감사한데 앞으로도 감사할 일이 계속 생길 것 같습니다.

초등학교에 갈 나이 때부터 남의 집에서 아기를 보며 그렇게 일을 해왔습니다. 이제는 등이 아프지만 아직도 일을 할 수 있다는 것이 감사하기만 합니다. 지금까지 살아 온 길을 생각하면, 더 하지 않은 것을 감사하게 여기는 긍정적인 마음과 신앙의 힘이 있었기 때문에 견딘 것 같습니다. 그래서 참 감사합니다. 신길동에 집을 산 것도 감사할 일이고, 둘째 아들이 효자인 것도 감사할 일입니다. 작은 아들이 오늘은 며느리하고 같이 내 신발을 사 주었습니다. 생일상도 차려주고 아픈 데는 없는지 마음을 써줍니다.

지금이 제일 좋은 것 같습니다. 방세 받아서 생활비 하고, 하나님께서 건강함을 주셔서 내가 직장을 나가 버는 돈으로 큰아들의 빚도 조금씩 갚아나가고 있습니다. 작아도 내 집이 제일 맘이 편합니다. 나도 세를 많이 살아봐서 세를 사는 사람들한테 많이 베풀며 삽니다. 어떤 사람은 전세로 해 달라고 하는데, 난 이 셋돈이 생활비라 전세는 안 된다고 했어요. 그래서 할 수 없이 보증금을 올리고 월세를 내려 주었습니다. 골목도 조용하고 이 집이 좋아서 절대 이사 못 간다고 떼를 써서 10년을 살다가 나간 이웃도 있습니다.

이 집은 나한테 안식처입니다. 마음이 편안하기 때문입니다. 세입자도 말썽부려 본 사람이 없고, 돈 때문에 싸운 사람도 없습니다. 고장 난 곳을 고쳐 가며 잘 살아왔습니다. 우리 집은 빛이 잘 들어와서 겨울에도 복도가 따뜻하고 밝아서 참 좋습니다. 누구는 이집을 허물고 아파트를 짓자고 하는데 우리 가족의 추억이 담긴 이 집을 허는 것은 원치 않고 이웃들과도 헤어지지 않고 싶습니다.

도시재생사업을 통해 내 집을 지키고 싶어요

이렇듯 나에게 이집은 나와 우리가족의 삶의 토대이자 가족의 추억 앨범입니다. 돈을 아무리 많이 주어도 그 애닮은 추억을 팔고 싶지 않습니다. 잠깐 살다 가는 인생 소풍을 마칠 때 이 집에서의 추억을 회상하면서 "이번 인생 소풍 행복하게 지내다 간다."고 미소 지으며 눈감고 싶습니다.

그러기에 나는 이집을 무참히 헐고 아파트를 짓겠다는 개발업자들을 반대하고, 이런 나의 추억을 지키고 싶은 마음에 도시재생사업에 참여하게 되었습니다.

어느 날 마을 골목길을 가다가 머리카락이 하얗게 세신 할머니를 만났습니다. 우리 품세리 마을 할머니라 반가워서 손을 꼭 잡았더니 할머니 하시는 말씀이 "도시재생 희망지 주민모임에 꼭 아저씨도 같이 오라"고 당부하면서, 자신도 "무덤에 가있는 영감님도 데리고 온다."라고 하셔서 한바탕 웃었습니다. 일 끝내고 늦게 가면 미안할 것 같았는데 늦게라도 꼭 가서 반가운 얼굴들을 보는 게 요즘 일상의 즐거움입니다.

지난 3년째 매주 목요일 저녁 7시에 한 번도 빠짐없이 열리는 주민모임에서는 늘상 진정 행복한 삶은 무엇인가를 생각하게 하는 인문학 영상과 강의가 곁들여지고, 특별한 주제가 없어도 서로 얼굴한번 보는 즐거움이 있어 꼭 참석합니다.

매월 마지막 주 토요일에 열리는 마을 축제 겸 바자회는 우리 도시재생사업을 하는 주민공동체의 결속을 다지는 시간이기도 합니다. 우리 마을 주민들은 이제 진정한 도시재생이 무엇인지를 지난 3년 동안의 활동을 통해서 막연하게나마 깨닫게 된 것 같습니다.

나부터도 매주 열리는 주민모임에 참석하는 것이 일상적인 즐거움이 되었으니 이게 진정 우리가 꿈꾸는 행복한 사람들이 살아가는 마을이 아닌가 생각합니다. 더 많은 사람들이 이웃과 정을 나누고 서로 걱정하고 기쁨을 나누면서 살아가는 마을을 만들어가는 도시재생사업에 참여해 주셨으면 좋겠습니다.

" 더불어 살아가는 즐거움을 일깨워 줘 "

김 명 자

단돈 5백 원을 주고 산 행운목이 지금껏 잘 자라서 이제는 방 천장 높이까지 키가 닿았고, 한번 보기도 힘들다는 행운목 꽃도 4년 전에 피웠습니다. 그리고 이제 또 피우길 기다리고 있습니다. 앞으로도 행운목이 꽃을 피울 수 있을 것 같고 꽃이 피면 꼭 좋은 일이 있을 것 같습니다.

이 집을 처음 만났을 때는 내 인생의 행운이라 생각하며 가슴이 벅찼고, 지금도 내 인생의 전부로 여겨질 정도로 소중합니다. 행운목이 꽃을 피우면 좋은 일이 일어난다는 믿음이 이 집에 설화처럼 남아 후손들이 힘들 때 희망을 되살리는 힘이 되었으면 좋겠습니다.

그 시절 친구들이 그리운 고향마을

나는 지리산 뱀사골 계곡 옆 동네 전라북도 남원시 산내면에서 1948년에 태어났습니다. 5남3녀 중 여섯째로 태어나 밑으로 남동생과 여동생 하나씩 있는데 두 동생이 정이 많아 지금도 가깝게 지냅니다. 여동생이 "8남매 중에 언니가 엄마를 가장 많이 닮았고 얼굴도 행동도 꼭 같아."라고 늘상 말하곤 했습니다.

손 위 오빠와 큰언니가 고령으로 별세하고, 셋째오빠는 신대방동에 살고 계시면서 자주 오가고 합니다. 어렸을 적 함께 놀던 추억이 있는데, 하나 둘씩 세상을 떠나니 세상 무심하기도 합니다.

내가 태어나고 2년 만에 6.25전쟁이 났기 때문에, 평온한 가정의 보살핌을 받지는 못했다고 합니다. 난리 통에 먹을거리가 있는 것만으로도 복 받았다고 했다고들 했으니, 차라리 아무런 세상물정 몰랐던 애기였으니 다행이었다는 생각도 하곤 합니다.

그 당시에 농촌에 살고 있던 대부분의 가정들이 그렇겠지만 우리 집도 없는 살림에 자식은 8남매라 장남부터 순서대로 성장해감에 따라 가족을 부양하는 것이 공부하는 것에 앞섰습니다. 특히 남녀 차별이 심했던 때라 누나이긴 했어도 위로는 오빠들에게, 아래로는 남동생에게 치어 늘상 찬밥 대우받는 게 서운하곤 했습니다.

남들 학교 다닐 때 나는 학교 대신 논밭에서 일했는데, 내가 열심히 모 심고 누에 키워 돈을 모으면 엄마는 장날 가셔서 아들 옷만 사오셨습니다. 내가 번 돈으로 남동생 옷만 사오고 왜, 내 옷은 안사오나 성질도 났고 서운했습니다. 그래도 형제간의 우애는 깊어서 잠깐의 엄마에 대한 서운함이 남동생에 대한 질투로 나타나지는 않았습니다.

하긴 없는 살림에 남동생에 대한 엄마의 배려라곤, 마음이 더 앞선 것일 뿐이었지, 호사스런 것이 아니었기에 엄마의 그 마음이 더 애닯았습니다.

그렇게 내 몫을 챙겨 받으며 자란 남동생이라 지금도 정이 가장 많이 갑니다. 남동생은 지금도 고향인 뱀사골을 지키면서 살고 있는데 혼자 사는 나를 다른 형제들보다 많이 생각해줍니다. 마치 어렸을 적 자신을 먼저 챙겨준 엄마처럼 자신이 농사지은 감자도 부쳐주고, 고사리도 보내주고, 늦가을이 되면 남동생은 김장 배추를 절여서 해마다 우리 집에 보내줍니다. 올해도 배추 120포기를 절여서 서울 우리 집으로 보내왔습니다. 그 배추로 며느리들이 집에 와서 김장을 해서 가져갑니다. 남들에게 음식 나눠주는 걸 좋아하는 딸은 따로 50포기를 담아갑니다.

1956년에 산내국민학교에 입학하여 졸업할 때까지 어른들 밑에서 억척스럽게 살았습니다. 16세 나이에 친구들과 같이 마당에 둘러 앉아 삼 삼던 시절. 밤에 옥수수 끓어서 삶아먹고 떠들던 그때, 그 시절이 너무 재미있었습니다. 그때는 돈이 되는 일이라 누에를 키웠습니다. 면사무소에서 판으로 누에를 나눠주면 집으로 가져왔습니다. 1주일 뒤 누에씨에서 애벌레가 나옵니다. 뽕나무 잎을 먹여 키워서 손가락만큼 커지면 솔잎개비를 타고 올라가 집을 짓고 열흘이 지나면, 누에를 따서 면소재지에 가서 팔았습니다. 저울에 달아서 돈을 주는데, 돈이 되는 재미에 누에를 키우려고 뱀사골까지 가서 산 뽕잎을 따서 먹여 키웠습니다. 누에를 키워서 번 돈은 부모님 드리고 살림 밑천으로 썼습니다.

<아버지와 남동생>

그렇게 19세에 시집가기 전까지 계속 누에를 키웠습니다. 당시에 번 돈으로 18살에는 처음으로 내가 직접 옷도 사 입었습니다. 처음 사 입은 옷이 체크무늬 세라복 이었습니다. 그때는 멋도 내고 돈도 쓰고 참 좋은 시절이었습니다. 그때 함께 삼을 삼고 누에를 먹이던 친구 일선이와 예술이 와의 추억이 생각나는데, 일선이는 3년 전에 먼저 저 세상으로 갔습니다. 지금 생각하니 그때가 참 행복했고 친구들이 그립습니다.

얼굴도 모른 채 남편과 결혼하다

1966년 내 나이 19세에 결혼하게 되었습니다. 남편과의 만남은 시어머니의 오빠와 나의 아버지 간에 친구지간이어서 나는 전혀 알지 못한 채 어느 날 시어머니가 우리 집으로 제 얼굴을 보러 오신 후, 어른들 간에 결혼을 결정해서 이뤄지게 되었습니다.

당시까지만 해도 시골에서 그렇게 결혼하는 경우가 적지 않이 있었기 때문에 이게 내 운명이구나 하고 살았습니다. 지금 생각하면 이해할 수 없지만 그렇게 나는 남편 얼굴도 모른 상태에서 결정된 결혼을 하게 되었고 아영면 인풍2리 뫼산리의 시댁으로 들어갔습니다.

결혼한 지 2년만인 1968년에 첫딸 성숙이를 낳았습니다. 아들이기를 기대했던 시아버지께서 "겁나게 서운하다"고 하셔서 몸 둘 바를 몰랐고 눈물이 나왔습니다. 그래서 딸을 낳자마자 몸조리도 제대로 하지 못한 채 집안 살림하랴, 어르신 모시고 논으로 모를 심으러 다니랴 일복만 많았습니다. 산후 몸조리를 하지 못하고 일한 탓인지 젊었을 적부터 관절이 여기저기 아팠습니다. 그래서 내 며느리들 출산했을 때는 그런 서러움 주지 않으려고 내손으로 미역국 끓여주고 산후조리 잘 하도록 마음써 주었습니다.

1970년에 둘째인 첫 아들 영길이를 낳았는데 기다리던 손자를 낳자 시어머니께서 기분이 좋으셔서 미역국도 잘 끓여주고 산후 조리를 잘 해 주셨습니다. 아들을 낳았다는 안도감과 함께 첫 딸 낳고 서운해 하시던 시부모님께 섭섭했던 내 마음이 가셨습니다.

첫 애기 낳을 때는 대부분 광목기저귀를 사용했었는데, 시누이랑 남원에 놀러 가면서 나들이 갈 때만 쓰려고 아껴둔 가제기저귀를 들고 나갔다가 그만 잃어 버렸습니다. 그 당시 살림살이가 곤궁했던 시기여서 귀하게 여겨 제대로 써보지도 못했는데 어찌나 서운하던지 아직까지도 기저귀 잃어버렸던 기억이 생생합니다.

결혼 생활 내내 정말 알뜰하게 살림을 해 나갔습니다. 애기 넷 키우면서 종이기저귀 한번 안 쓰고 모두 손빨래해서 다 키웠습니다. 하얀 가제 기저귀도 아까워 광목 기저귀를 썼습니다. 옛날에는 뭐든지 귀하고 아쉬웠는데 지금 생각하면 아이들 클

때 조금 더 잘해줄 걸 하는 생각이 들어 미안한 마음이 듭니다.

1972년에 둘째아들 영수가 태어났고, 1974년에는 셋째아들 영록이가 태어나 2년 터울로 사남매를 낳았습니다. 당시 시댁은 봉래초등학교 옆이었는데 구멍가게를 하고, 학교 선생님들 하숙도 하면서 살았습니다. 그렇게 남편과 돈을 모으면서 열심히 살다가 첫째 딸 성숙이가 장성해서 서울에 사는 신랑을 만나 시집보냈습니다.

<남편과 함께 찍은 사진>

남편과의 사별, 그리고 자식들과 서울 이주

남원에서 농사도 짓고 살았는데 남편이 대전에서 내려와 파출소에 신고하러 오토바이를 타고 가다가 사고가 나서 남편을 하늘나라로 보냈습니다. 그때가 남편이 52세, 내가 45세였습니다. 하늘이 무너지는 듯 했지만 엄마로서 그대로 주저앉을 수 없었습니다. 남편이 먼저 떠나게 되자 아들들과 상의하여 짓던 농사를 다 그만 두고, 46세에 아들 셋을 데리고 서울 도림동으로 이사했습니다.

첫째, 둘째 아들은 고등학교를 졸업했지만, 막내는 아직 학교를 다녀야 했습니다. 나는 인문계 고등학교에 들어가라고 했지만, 아버지가 안계시니 집안이 어렵다는 생각에 인문계 고등학교를 안가고 일찍 취업하여 가계에 보탬이되겠다면서 고집하며 공고에 진학했습니다. 기특했습니다. 그런데 졸업 후에 대학에 진학하기로 생각을 바꾸고 노량진 정진학원에서 1년을 공부하여 대학교 전자공학과에 입학했습니다. 대학에 다니는 동안 장학금을 받으며 다녀 효자 노릇을 톡톡히 했습니다. 세 아들 중 막내아들이 일찍 하늘나라로 간 아버지를 많이 닮았습니다. 또 서울로 시집간 딸은 나를 많이 닮았습니다.

구강암 진단, 그리고 투병과정에서 얻은 행복

2016년 8월에 구강암 진단을 받았습니다. 목이 불편하여 병원에 갔더니 암이라고 하였습니다. 내가 40대 중반에 혼자되어 어렵게 살아온 걸 잘 알고 있는 시누이는 그렇게 열심히 살았는데, 좋은 세상에 건강하게 오래오래 살아야 하는데 더럭 내가 암에 걸리니 너무 안타까워합니다.

처음에 암 진단을 받은 직후엔 모든 즐거움이 사라졌습니다. 만사 다 귀찮고, 아프고 온 몸에 기운이 없었습니다. 죽음의 공포를 느끼면서 그동안 살아온 걸 되돌아보니 내 인생은 맨날 가시밭길만 걸어온 것 같아 화가 나기도 했습니다. 세상이 원망스러웠고, 모든 것을 다 남 탓으로 돌리고 싶었습니다.

항암치료가 본격적으로 시작되면서 조금씩 안정감을 되찾았고, 누구나가 한번은 다 죽는다는 생각에 담담해지기 시작했습니다. 무엇보다도 내가 죽기 전에 내 자손들이 모두 잘 되었으면 하는 바람도 생겼습니다. 희한하게 자손들에게 욕심을 내니 다시 삶에 대한 애착도 생겼습니다. 지금도 여전히 항암치료를 받으면서 남은 인생을 긍정적으로 살아가려 노력하고 있습니다. 그동안 참 지루하게 오랫동안 살았다는 생각도 많이 들었는데, 암 진단을 받고 나니 하루 하루가 생명의 빛으로 살아가는 소중한 삶이란 것을 깨달았습니다.

나의 삶 뿐 만 아니라 콘크리트 계단 틈 사이로 비집고 자라온 잡초조차 소중해 보여 차마 뽑을 수 없었습니다. 아마도 남편을 떠나보내고 아무 즐거움도 없이 그냥 지내고 있는 나에게 삶의 소중함을 느끼게 해주려고 암 진단을 받게 한 것이라고 생각하고 싶습니다. 그래서 나는 이 항암치료를 잘 마치고 남편 몫까지 건강하게 오래 오래 살 것입니다.

암치료 과정에서 가장 큰 위로가 되었던 것은 국민학교 동창 친구들이었습니다. 국민학교 동창회를 한 달에 한 번씩 하는데, 9~10명이 모이면 옛이야기도 하고 노래방에도 갑니다. 이미자의 '흑산도 아가씨' 가 나의 18번 곡입니다. '물결은 천번만번 밀려오는데 못 견디게 그리운 아득한 저 육지를 바라보다 검게 타버린 검게 타버린 흑산도아가씨......' 검게 타버린 내 마음을 노래로 달래곤 했습니다.

지난 찌들어지게 가난했던 어린 시절, 45살 나이에 남편을 먼저 보내고 남겨진 자녀와 살아온 세월이 물결처럼 밀려옵니다. 노래를 좋아하고 잘 불렀던 처녀시절, 그러고 보니 17살에 산내면 체육대회에서 노래자랑에 나가 상품으로 밥솥을 탔던 추억도 생각나고, 스트레스 쌓일때마다 노래를 부르면서 해소하던 젊은 시절 모습도 추억의 한 장면으로 생각납니다.

<고향의 가까운 친척들>

이 자서전을 쓰는 동안에 큰아들이 쓰러져 병원에 입원했는데 오른쪽 팔다리가 마비되어 며느리와 교대로 간병을 하고 있습니다. 남편을 먼저 떠나보낸 아픈 상처가 있어 왜 내 팔자가 이런가 싶기도 한숨을 쉬기도 했습니다.

그러나 중국속담에 '새옹지마'라는 말이 있듯이 다 좋은 일이 있으려고 이런 시련이 있겠지 하고 긍정적으로 생각하려하고 있습니다.

아들이 쓰러지니 옆에 있는 며느리 보기가 미안하고, 손자들 걱정도 됩니다. 차라리 항암치료를 받는 내가 죽고 아들이 빨리 낫기를 바랍니다.

나의 가족의 삶의 흔적이 담긴 나의 집

서울에 처음 올라와 2년을 도림동에서 살다가 48살에 영등포 신길동으로 셋방을 얻어 이사 온 뒤, 아이들에게 부끄럽지 않은 엄마가 되기 위해 죽자 살자 장사를 하면서 열심히 돈을 모았습니다.

하늘에 있는 남편이 살펴준 덕분에 신길동에 지금 살고 있는 집을 어렵게 장만했습니다. 현재 살고 있는 집은 3층집 그대로인데 오랜 세월 속에 낡아 진 부분은 지금도 조금씩 고쳐가면서 살고 있습니다.

남편 없이 겨우 마련한 우리 집에 이사한 첫날 뭐라 말 할 수 없는 감정에 눈시울이 뜨거워졌습니다. 오로지 나의 중년을 모두 헌신하여 허리띠 졸라매고 알뜰살뜰 노력한 끝에 마련한 집이고, 아들, 딸이 모두 출가한 상태에서 1,2층의 셋방에서 연금처럼 월세가 꼬박꼬박 나오니 든든한 효자아들만 합니다.

그렇게 정기적으로 페인트 칠 하고 도배하며 집을 관리하다 보니 이집이 몇 십 년 된 집처럼 보이지 않습니다.

지금 살고 있는 이집은 나한테는 보물 같은 존재입니다. 왜냐하면 남편 없이도 여자 혼자서 열심히 일하니까 집을 사는구나 생각이 들었습니다. 내가 어떻게 집을 샀을까? 믿어지지 않을 정도로 감동해서 계단을 내려가며 쳐다보고, 올라가며 또 쳐다보고 그러다 그동안 남편과 결혼하여 살아온 옛 생각에 주르륵 눈물도 났습니다.

이집이 지난 힘든 세월을 다 보상해 주었습니다. 살면서 제일 행복할 때는 집을 샀을 때와 아들을 결혼 시킬 때였습니다. 아들 셋을 다 이집에서 살면서 모두 결혼시켰습니다. 아들 딸 들을 출가시킨 후에 텅 빈 방을 돌아보면 너무 쓸쓸했습니다. 어려웠던 시절에 아이들과 함께 의지하면서 살았던 나의 집 구석구석에서는 아들들의 모습이 잔상으로 나의 기억 속에서 재생됩니다.

지금 큰 아들은 인천에 살고, 둘째는 분당 살고, 셋째는 금천구에 가깝게 살고 있습니다. 제사 때와 생일 때 아들 딸, 며느리

사위 다 이 집으로 모이니 그때가 가장 행복합니다. 친손주가 아들 여섯, 딸 하나, 일곱 명이고, 외손주 남매가 있습니다. 손주만 아홉입니다. 고등학생부터 중학생, 초등학생에 4살 막내까지 다 모이면 집이 좁고 복잡하지만, 그래도 손주들이 다 나에게 너무 잘합니다. 이집에서 살면서 아들, 손주 가족이 함께 모여 시끌벅적한 것이 나에겐 가장 큰 행복입니다.

도시재생이란 더불어 살아가는 즐거움을 일깨워주는 것

지금 살고 있는 집이 지어진지 24년을 넘다보니 손이 많이 갑니다. 돈을 주면 집을 고칠 수는 있지만 그래도 마음에 걱정이 커집니다. 남편 없이 자녀들도 떨어져서 살고 있어, 고칠 곳이 생기면 이 집을 내가 고쳐서 살아야 하는데 집도 나만큼 늙어서 아픈 곳이 점점 많습니다. 집이 꼭 내 신세와 같다는 생각이 들었습니다.

허나 아파트가 아닌 단독주택이다 보니 항상 쓸고 닦는 게 습관이 되었습니다. 다른 사람들이 보면, 우리 집이 반짝반짝 빛이 나고 깨끗하다며 다른 집들에 비해서 예쁘다고 칭찬합니다. 옥상은 초록색 방수페인트를 칠하고 벽은 진한 밤색으로 칠하고, 집안 곳곳은 흰색과 밤색으로 꾸몄습니다. 24년간 이 집에 살면서 얼마나 많이 쓸고 닦았는지, 이사 온 뒤로 페인트칠을 한번 했는데 아직도 깨끗하고 좋습니다.

<나의 보물 1호인 신길동 나의 집>

그런데 우리 마을에 지어진지 오래된 집들이 많다보니 자꾸 아파트를 짓자면서 동의서를 받으러 다니는 브로커들이 붉은 페인트로 낙서를 하거나 일부러 몇 몇 집을 사들인 후에 쓰레기장으로 만들어서 주변의 집 주인들에게 집을 팔고 이사 가도록 하는 나쁜 짓들을 하곤 했습니다.

사실 나도 이 집이 오래되어서 방수도 자주 해야하고, 소소하게 수리할 곳들이 많아서 새집으로 이사 가고 싶었던 생각도 들기도 했습니다. 그러나 이곳에서 26년 이상 살아오면서 나의 노년을 보내왔기에 익숙하지 않는 다른 곳에서 살기도 두렵고, 안정적으로 월세가 150만원씩이나 나오는 이곳을 떠나기 싫습니다.

그래서 2017년도 9월부터 시작된 마을 공동체의 도시재생사업에 참여했는데, 이 과정에서 고향친구 보다 더 좋은 이웃친구들을 만나게 되었습니다. 큰 아들이 쓰러져 병원에 있을 때도 도시재생사업을 하면서 알게 된 이웃들이 마음이나마 위로를 해줘서 고마웠습니다.

골목길을 넓혀주고 주차장을 만들어주고, 큰 도서관을 만들어주고 하는 것도 좋지만 나는 도시재생사업이 먼저 사람들의 마음을 우선 재생하는 것이 더 중요하다고 생각합니다. 이웃을 가족처럼 생각해주는 우리 마을이 그래서 더 소중하고, 이 소중한 마을을 도시재생 사업을 통해 지켜나가고 싶습니다.

도시재생사업 과정에서 우리 마을에 강의오신 한 강사님이 이런 말씀을 하셨습니다. "여기 주민 분들은 눈빛이 다른 것 같습니다" 맞습니다. 우리 마을 주민들은 억지로가 아닌 서로의 정을 느끼고 있기에 그렇게 보여진 것이 아닌가 생각됩니다.

우리 집에 있는 행운목이 다시 꽃 피우길 기다리면서

이 집에 처음 들어올 때 단돈 5백 원을 주고 산 행운목이 지금껏 잘 자라서 이제는 방 천장 높이까지 키가 닿았습니다. 보통 사람이 한번 보기도 힘들다는 행운목 꽃도 4년 전에 피웠습니다. 그리고 또 피우길 기다리고 있습니다. 앞으로도 행운목이 꽃을 피울 수 있을 것 같고 꽃이 피면 꼭 좋은 일이 있을 것이라고 믿습니다.

행운목이 꽃을 피우면 좋은 일이 일어난다는 믿음이 이 집에 설화처럼 남아 후손들이 힘들 때 희망을 되살리는 힘이 되었으면 좋겠습니다.

" 이웃들의 가슴에 남는 사람으로 살고파 "

윤숙순

마을 이웃들이 아침 일찍부터 자기 집 앞, 화단을 깨끗이 쓸고 가꾸다 보니 어느새 우리 마을 골목길이 깨끗해 졌습니다. 이렇듯 우리 가족도 서로 사랑하며, 격려하며 살아오다 보니 어느새 우리 집도 고목나무처럼 느껴집니다.

난생 처음 자서전을 써보면서 지나 온 삶을 뒤돌아보니 오직 앞만 보고 열심히 살아 온 것 같습니다. 광고 카피처럼 가족을 위해 열심히 살아온 제 자신을 충전할 수 있는 인생 휴가를 떠나고 싶습니다

파란 바다 위에 하얀 파도와 갈매기가 아름다운 고향마을

나는 전라남도 고흥 바닷가 마을에서 6남매 중 셋째로 태어났습니다. 지금으로선 상상할 수 없는 일이지만 아버지는 생명이 위태로울 수 있었던 6.25전쟁 당시에 집안의 기둥이었던 큰아버지를 대신해 군에 입대하였습니다. 전쟁이 끝난 후에 이번엔 정말 아버지 이름으로 영장이 나와 또 다시 군대에 입대하셨습니다. 남들은 이런 이야기하면 웃기도 하지만 집안의 가장인 아버지가 군대를 두 번이나 입대하는 바람에, 가족의 생계는 모두 엄마가 책임져야했기 때문에 많은 고생을 했습니다.

내가 살았던 고향 마을은 차도 없고 전기도 들어오지 않았던 아주 한적한 어촌이었습니다. 집집마다 밤만 되면 초롱불을 밝혔는데, 살랑거리는 초롱불 춤추는 모습이 누런 창문살 창호지를 뚫고 담장을 타고 넘어 우리 집 마루에 앉아 있던 나의 가슴속에 남아 있습니다. 가을이 지날 때면 집집 마다 난방 연료로 사용하기 위해 뒷산에 올라 땔감 나무를 하러 다니곤 했는데. 늦가을 소나무가 단풍이 들어 갈잎이 되어 땅에 떨어지면 갈퀴로 긁어 쌓아두었다가 겨울 내내 연료로 사용하곤 했습니다.

우리 마을 뒤에는 큰 산이 있고 앞에는 바다가 있었는데 갯벌 방천에서 생선, 꼬막이 많이 나와 큰돈은 없었지만 어렸던 나는 당시에 큰 배고픔은 모르고 자랐습니다.

당시에는 냉장고가 없는 시절이라 마루 위에 선반을 만들어 보리쌀을 삶아서 대나무 바구니에 걸어놓았습니다. 엄마는 가마솥 밑에 보리쌀을 깔고 위에는 하얀 쌀을 얹어서 밥을 지어 아버지에게는 쌀밥을 드리고 우리는 쌀밥이 조금 섞여 있는 보리밥을 먹였습니다. 그랬기 때문에 우리 형제들의 눈에는 아버지의 밥그릇이 가장의 권위의 상징처럼 보였습니다.

그 당시 아버지는 어떤 이유에선지 술을 자주 드셨고 의욕이 없어서인지 틈만 나면 잠만 주무셨습니다. 아버지와 놀아달라고 할 수 있는 용기도 없었지만 그렇게 지친 모습으로 주무시는 아빠의 고달픈 얼굴 모습이 어린마음에도 안스러웠던지 재롱조차 부리지 않았습니다.

지금도 아주 가끔은 유아시절의 그런 마음의 상처를 지닌 어린시절 나의 모습이 떠올라 자기 연민에 빠지곤 합니다

1966년 국민학교에 입학했습니다. 우리 마을 앞 산을 넘어서 거의 매일 10리 길을 걸어서 학교에 다녔습니다. 늦게 운동회 연습을 하고 어둑어둑할 때 컴컴한 길을 친구들과 걸어오면 산 곳곳에 무덤이 있어서 등골이 오싹했었는데, 무서움을 덜기위해 잡았던 친구의 손이 참 따뜻했던 기억이 남아 있습니다.

국민학교를 마칠 무렵에 서울에 사는 작은아버지는 명절에 우리 집에 오셔서 나를 서울로 데려가 잘 키워서 결혼도 시켜주겠다고 나를 서울로 데려갔습니다.

1972 년도 쯤 이었을텐데, 작은아버지 집은 서울 성북구 정릉 산꼭대기였습니다. 아래는 청수장이 있었고 산꼭대기에 마을이 있었는데 작은아버지 집에 막상 와서 보니 시골의 집보다 더 참혹했습니다.

그래서 아버지께 돌아가서 두 번 다시 작은 집에 가지 않겠다고, 떼를 부리면서 많이 울었던 기억도 납니다.

그 무렵에 우리 고향에선 서울에서 옷 만드는 공장에 다니는 언니들이 많았습니다. 나는 아버지 허락을 받고 동네 언니들을 따라 서울로 갔습니다. 1975년 봉제공장에 취업을 했고 3개월을 다녔는데 기관지가 너무 안 좋아 그만두고, 두 번 째로 꽤 큰 전자부품 회사에 취업했습니다. 이 회사는 기숙사가 없어서 잠잘 수 있는 월세 방을 얻어주고 연탄 값과 방세까지 제공해 주었습니다.

그러던 중 주변사람들이 권유로 교회를 나가기 시작했습니다. 그 교회는 신도가 많다 보니 목사님이 야간학교를 건립하였고 근로자들이 밤에 와서 공부를 하게 해주었습니다. 가르쳐주는 교사는 자원봉사 대학생들이었습니다. 그 곳에서 나는 중학교 2년과 고등학교 2년을 다녔습니다. 물론 꼼꼼히 기초를 충분히 익히지는 못했지만 기초학력이 부족했던 나에게는 늘 공부해야 겠다는 자극제가 되었고 일하면서 공부하는 주경야독이 생각보다 쉽지는 않았습니다. 다른 또래들과는 달리 정규학교를 다니지 못했던 만큼 배움에 대한 열망도 강했습니다. 학업에 대한 컴플렉스때문에 나는 항상 책을 가지고 다녔으며 일을 하면서도영어 단어 하나라도 연상하면서 독학해 나갔습니다. 정규학교 교육과정을 통해 학업을 마치는 것 그 자체보다 요즘 한참 열기가 높아지고 있는 평생교육이 더욱 중요함을

저는 주경야독하는 과정에서 느꼈고, 공부의 목적이 단순히 많은 지식을 아는 것보다는 세상을 바라보는 자기 나름의 관점과 지혜의 안목을 깨치게 해주는 것임을 깨닫았습니다.

돌이켜보면 나의 생애과정에서 학창시절은 비정규 교육과정이었고 기간도 짧았지만, 학업에 대한 콤플렉스가 공부의 자극제가 되어 독학하는 과정에서 세상을 넓게 볼 수 있는 지혜를 얻게 해 주었다고 생각합니다.

고등학교 과정을 마칠 무렵 불국사, 포항제철, 부산, 울진성류굴, 설악산 코스로 졸업여행을 갔습니다. 버스를 타고,동해안도로를 달릴 때 차창 밖으로 보이는 파란 동해물이 해변의 바위에 부딪쳐 하얀 포말을 일으키고, 그 위를 느릿느릿 나는 갈매기들의 모습을 보면서, 세상이 참 아름답게 느껴졌습니다. 고향 땅 고흥에서 어렸을 적부터 보아왔던 바다를 보고도 아무 느낌이 없이 성장해왔는데, 졸업여행에서 본 동해 바다의 모습을 감성적으로 받아들일 수 있었던 것은 학교 공부와 독학과정에서의 사색의 힘이었다고 생각합니다. 아는 것 만큼 보이고 느낄 수 있다면서 제 아들들에게 밥상머리 교육을 할 수 있었던 아름

다운 추억이었습니다.

<정규학력은 짧았지만 독학으로 얻은 지혜>

가난했지만 자상하고 착실한 남편과의 만남, 그리고 결혼

회사를 다니면서 월급의 70%를 저축과 아버지께 송금을 해 드렸습니다. 조금이라도 부모님에게 돈을 드리는 것이 자식된 도리를 하는 것이었기에 나에게는 가장 보람되고 즐거웠습니다. 조금이라도 가족 경제에 힘을 보태고 싶었습니다. 그렇게 열심히 살아오던 나에게 운명적인 남편과의 만남이 있었습니다.

내 나이 23살 되던 해였습니다. 바로 옆집 사는 국민학교 동창이 결혼을 앞두고 자신의 신랑감을 데리고 왔고, 소문을 들은 친구들과 나는 호기심에 찬 모습으로 밤에 친구네 집을 놀러 가게 되었습니다.

이 자리에서 친구의 신랑 되는 사람이 나를 잘 보았는지 자기 친구를 소개시켜 주겠다고 해서 엉겁결에 그러라고 했는데 진짜 연락이 왔습니다.

지금은 그 흔적조차 찾을 수 없지만 영등포에 있었던 '명성다방'에서 현재의 남편을 처음 만났습니다. 내가 키가 작은편이어서 신랑감은 키가 컸으면 좋겠다고 생각하고 있었는데, 다방에 처음 들어선 아주 키가 크고 잘생긴 남자가 때마침 들어 섰습니다. 저런 남자였으면 하는 생각을 했었는데, 누군가를 찾는 듯 두리번 거리다가 나에게 다가왔습니다. 요즘처럼 휴대폰이 있는 것도 아니어서 만남 약속장소에서 처음 만나는 사람을 찾는 것도 쉽지 않았던 그 당시의 맞선 모습이었습니다.

사실 그날은 맞선이라기 보다는 호기심 삼아 만났것이었기에 결혼을 꼭 염두에 둔 것은 아니었습니다.

그래서 시작된 대화와 식사 등 통상적인 맞선 과정을 거친 후에 먼저 다시 만나자고 말할 용기가 없어서 연락처를 주지 않고 헤어졌는데, 얼마 후 다시 만나볼 생각이 없느냐고 친구를 통해 연락이 왔고 내심 기다렸던 차에 흔쾌히 응락하고 다시 만나게 되었습니다.

<영등포 우신 예식장에서 찍은 결혼 사진>

두 번째 만남에서는 결혼 배우자로 생각을 하니 더욱 신중하게 이모 저모 살펴보게 되었는데, 많은 시간을 함께 하면서 대화를 나눠보니 경제적으로는 어렵지만 참 성실하게 살고 있다는 믿음이 생겨서 사귀게 되었습니다.

그리고 이후 2년 동안의 교제를 한 후에 서울 영등포구 우신 예식장에서 결혼식을 올렸습니다. 신길2동에서 방 하나, 부엌 하나 있는 전세 230만 원 짜리 집을 구해 신혼살림이 시작되었습니다. 요즘 젊은이들 같으면 아마 결혼 할 생각을 접지 않았을 까 생각될 정도 우리의 신혼살림집은 초라했습니다. 비나 눈이 많이오면 담벽사이에 엉성하게 꾸려진 연탄창고에 비가 새들어와 물먹은 연탄이 무너져 내려 엉망이 되곤 하였습니다. 그러나 이처럼 주거환경은 열악하고 경제적으로도 곤궁했지만 나에게 자상하고 너무 착실한 남편이 있어서 참으로 행복한 신혼생활을 했습니다.

결혼 후에도 얼마간은 맞벌이를 하게 되었으나 임신하게 되면서 회사를 그만두게 되었습니다.

그런데 어느 날, 새벽에 석유곤로에 밥을 안쳐놓고 마당을 쓸던 나에게 평소에 개밥을 챙겨주어서 잘 따르던 개가 반갑다고 졸졸 따라다니더니 어느새 개 줄이 나의 두 다리를 감아버렸습니다. 당황한 내가 균형을 잃지 않으려고 줄을 풀려고 하면 개는 멍멍 짖어대면서 다시 내 다리를 감쌌습니다. 그날의 충격으로 나는 첫 아이를 놓쳤고, 그 후유증인지 그후로도 2번씩이나 유산이 되는 아픔을 겪어야 했습니다.

좋은 남편을 만나 행복해 했던 나에게 잇따른 유산에 죄지은 것처럼 불안한 마음으로 지내던 중 지금의 큰 아들이 나에게 기적처럼 찾아왔고, 최선을 다해서 몸조심했습니다. 병원에서 시키는 대로 5개월 될 때까지 쪼그리고 앉지 말라는 의사의 소견에 따라 집안일도 웬만한 일은 남편이 다 해주면서 조심한 끝에 잘 생긴 첫 아들을 낳을 수 있었습니다. 세상을 다 얻은 기분이었습니다. 그때가 1985년도, 내 나이 26세 때 내가 부모가 된 것 입니다.

남편도 첫 아들 이라서 아들을 예뻐해 주었습니다. 시부모님께서도 산후조리를 해주시겠다며 미역과 조선간장, 참기름을 싸가지고 오셔서 나를 챙겨주셨습니다. 정말 자상하신 분들이었습니다. 남편복이 있으니 시부모님 복도 있었습니다.

그렇게 아이가 태어나자 때 마침 주인집에서 방세를 한꺼번에 이백만 원을 올려달라고 하여 이왕이면 식구도 늘었으니 좀 더 큰 방을 얻자고 남편과 협의하여 같은 동네에 있는 넓은 월세방을 얻어 두 번째 살림을 시작하였습니다.

첫 아이가 돌이 지나고 얼마 있다가 둘째 아이가 생겨서 두 번째도 역시 아들을 낳았습니다. 제왕절개로 첫아들을 출산한 나는 2번째도 수술을 해서 아이를 낳았는데 아이가 다른 출생 아들과는 달리 울지도 않고 먹지도 않아서 많은 걱정을 했습니다. 당시 강화도에서 근무하고 있던 남편이 시외전화로 아이가 눈 떴냐고 수시로 물어올 정도여서 마음고생이 심했습니다. 지금은 의젓한 청년이 되어 장가갈 나이된 둘째 아들을 볼 때마다 대견스럽기만 합니다.

<두 아들과 함께 단란한 가족 사진>

주인 집과의 분쟁에서 얻은 인간관계의 소중함을 깨닫다

호사다마 하고 했던가, 첫아들도 무럭무럭 잘 커가고,둘째도 생기를 되찾아가기 시작하던 무렵에 난생 처음 '계'라는 것을 가입하게 되었습니다. 지금은 찾아보기 힘들지만, 당시 은행의 금리가 높아 목돈 대출이 어려웠던 서민들이 서로 신뢰속에서 일정한 월부금을 적립하여 돌아오는 순서대로 목돈을 만들 수 있는 '계'는 상대적으로 금리가 낮고, 담보제공 등이 필요없어서 웬만한 서민들의 재테크 수단으로 자리 잡고 있었습니다.

주인 아주머니가 주변사람들과 함께 500만원짜리 계를 시작해서 나도 자연스럽게 또래 엄마들과 계원으로 가입하여 조금씩 생활비를 모아놓은 돈으로 계를 부어갔습니다.

어느덧 그 집에 이사한지도 4년이 될 무렵, 정기적인 곗날이 다가오자 집주인이 예정에도 없던 곗돈을 나에게 먼저 태워주겠다고 했습니다. 그런데 당초 500만원의 목돈을 지급받아야 하는데, 계주이자 집주인 아주머니는 180만원만 지급하고 나머지 320만원은 나중에 주겠다고 약속하곤 차일피일 기일을 미루고 있었습니다.

그러던 어느 날, 우리가 살던 월세방에서 500미터 거리에 있는 단독주택 26평이 5,850만 원에 매물로 나와서 그동안 허리띠 졸라매면서 모아 놓은 돈과 주인집 아주머니에게 받을 320만원에 은행 담보 대출을 받으면 월세방 신세를 면할 수 있을 것 같아 차라리 좀더 있다가 신축빌라를 사자고 하는 남편의 만류에도 불구하고, 500만원의 계약금을 건네고 매매계약을 체결하였습니다.

1990년 4월 15일, 새로 살집의 잔금 날짜가 다가오고 있었습니다. 주인아주머니에게 다급한 마음으로 받아야 할 계돈 320만원을 빨리 돌려달라고 재촉했지만 점점 말도 안되는 이유를, 그것도 수시로 내용을 달리하면서 돌려줄 생각을 하지 않는 듯했습니다.

은행대출도 이미 받을 만큼 받았기에 더 이상 현금이 나올 곳이 없었던 나는 눈앞이 캄캄하여 친정아버지에게 잔금을 치를 수 있도록 천만 원만 구해달라고 부탁했습니다. 아버지는 농협에서 대출을 받아 나에게 주었습니다. 시집간 딸이 아버지에게 대출을 받게 했다는 사실에 너무도 죄송스러웠습니다. 그리고 너무나 고맙고 감사했습니다.

우선 아버지의 대출금으로 나의 첫집을 마련하는 잔금을 치른 후에 잔금을 돌려받기 위해 주변분의 도움을 받아 내용증명 우편도 보내는 등 법적 대응에 착수했었습니다. 그 과정에서 알게된 사실이지만, 주인아주머니는 우리가 이사 온 다음해에 은행에서 거액의 대출금을 받고 근저당을 설정한 상태였습니다.

또한 주인아주머니는 나에게 돌려주워야 할 320만원을 이사갈 때 준다며 지금 당장 지급할 수 없다고 했습니다. 더욱 기가 막힌 것은 왜 자기하고 의논도 없이 집을 샀느냐며 도리어 나에게 으름장을 놓기도 했습니다.

당시 내 나이 32살 때 였는데, 세상물정도 몰랐던 나에겐 주인아주머니는 참으로 무서운 사람이었습니다. 사정도 해보고 애원도 해 보았지만 소용없는 일이었습니다. 남편은 강화도에서 일하느라 집에 없었고 혼자서 집 주인을 상대로 싸운다는 것은 지옥과 같았습니다.

혼자서 마음만 애태우고 있던 중 4월 4일 식목일 전날, 지방에 주로 근무하고 있어서 얼굴을 볼 수 없던 주인아저씨가 서울 집으로 올라오시게 되면서 자초지종 상황을 설명드리고 돈을 돌려줄 것을 부탁했습니다.

주인아저씨가 나에게 집을 샀다니 잘됐다고 하면서 서운해하며, '그러지 말고 남편에게 연락해서 저녁에 같이 얘기하자'고 했습니다. 그날 저녁에 남편이 사온 맥주와 안주꺼리를 먹으면서 지난 일들을 서로 용서하며 4월 15일에 차질 없이 이사할 수 있도록 하겠다며 약속을 해주었습니다.

그런데 다음 날 주인아주머니가 4월 6일 날까지 방세를 계산해 줄 테니 즉시 방을 빼 달라고 했습니다. 우리는 새로 마련한 주택에 4월15일에 잔금을 치르고 들어가야 되는데 9일을 앞당겨 내보내겠다는 것은 끝까지 나를 골탕을 먹이겠다는 것으로밖에 보이지 않았습니다.

나는 젊은 오기로 주인아주머니에게 '걱정하지 마시고 6일 날 방을 뺄 테니 돌려 줄 돈을 달라'고 말했습니다. 마당에 거적을 깔고 살아도 더 이상 주인아주머니에게 사정하고 싶지 않았기에, 오기를 부렸지만 결국 이사갈 집의 문간방에 일부 짐만 우선 보내고 장롱같은 큰 짐은 앞 집 의 처마 밑에 비닐장판을 씌워놓고 지냈어야 했습니다.

완전히 피난민 신세와 같았는데, 속으론 처음으로 집을 산 신고식이구나 생각하고 화를 삭혔습니다. 남편은 강화에 있었기에 다행히도 평소에 알고 지냈던 동네 형님께서 자기 조카들 작은방을 쓰게 해주셔서 열흘 동안 어린 두 아들과 셋이서 지냈습니다.

그 행복했던 신혼 생활이 아들 둘을 낳고, 주인집 아주머니에게 사기당하기 직전에 겨우 몸만 빠져나와 옷이며 이불이며 주요 살림 가재도구가 다 뿔뿔히 흩어져 있는 가운데 남편은 일 때문에 지방에 있고 혼자서 이 모든 것을 해결해야 하니 너무도 서럽고 분했습니다. 그리고 주인아주머니를 저주하고 싶었습니다.

하늘도 같은 심정이었는지, 열흘 동안에 거의 내내 봄비가 내렸던 것 같았습니다. 그래도 여자는 약해도 엄마는 강하다는 말이 실감날 정도로 아이들을 볼보면서 나는 이같은 상황은 잠깐 지나가는 거라고 생각하면서 강해지려고 했습니다. 당시에는 동네 식당이 멀찌기 있어서 집에서 냄비에 휴대용가스렌지를 놓고 밥을 해서 아이들을 먹일 때에는 마치 모래알을 씹는 것 같았습니다.

그렇게 우여곡절 끝에 1990년 4월 15일 우리 부부는 우리가 처음으로 장만한 우리 집에 입주했습니다. 여기저기 분산해 두었던 세간살이를 부지런히 새로 산 집에 옮겨놓는 과정에서 덮혀 진 장판을 들어보니, 열흘 동안 남의 처마 밑에서 봄비를 맞았던 장롱 위 합판이 들 뜬 상태였습니다. 신혼살림 세간이 그렇게 망가진 모습을 보니 전 주인아주머니가 더욱 원망스러웠습니다.

남편이 직접 수리하겠다면서 나에게 철물점 가서 못을 사 오라고 했는데 시장에 가는 길에 옛 주인아주머니가 저 멀리 걸어오는 것을 보았습니다. 가슴이 진정이 되지 않고 방망이질을 하는데 잠시 골목길에 숨어서 그 아주머니가 지나가고 난 다음에 못을 사다가 남편에게 주었습니다.

어설프지만 들뜬 장롱 지붕을 바로잡고 방안에 장롱이며 냉장고, 텔레비전 등 세간을 하나 둘 씩 들여놓고 보니 웬지 셋방하고는 전혀 다른 느낌이 들었습니다.

새벽 2시 경에야 겨우 이삿짐 정리가 마무리 된 후에 구석진 곳에 잠들어 있던 아이들을 바로 눕히곤 우리 부부도 잠자리에 들었는데 남편이 내 손을 잡아주며 미안하다고 하며 더욱 더 열심히 살자고 위로해 주었습니다. 그동안 며칠째 혼자서 고생했던 마음을 달래주니 베개가 젖을 정도로 한참이나 눈물을 흘리다가 잠들었습니다.

그리고 얼마간의 시간이 지난 후 전 주인 가족의 소식이 들려왔습니다. 전 집주인 아들이 사고로 식물 인간이 되었다는 소식이었는데, 마치 제가 전 주인을 원망해서 그렇게 된 듯 하여 미안하고 너무 가슴이 아팠습니다.

착한 아들이었는데, 그동안 서럽고 나쁜 감정에 앞서 사람의 도리로서 이사 후 처음으로 그 집을 찾아 병문안을 갔습니다. “누워있는 아들이 먹을 수 있는 것이라도 해주세요” 라고 봉투를 드렸더니 전 주인아주머니가 나를 붙잡고 울먹거리며 우셨습니다. "미안하다, 미안해... 내가 그때 왜 그랬는지 모르겠다."는 말만 되뇌면서 우시는 모습을 보니 나 역시 "내가 왜 그리 저 아주머니를 의심하면서 독촉했을까? 아저씨께서는 금방 우리 사정을 듣고 돈을 돌려주라고 하셨는데....조바심을 갖지 않고 조금만 더 아주머니의 속 사정을 듣고 원만히 해결할 수 있었다면 좀 더 좋은 관계가 되지 않았을 까?....."라는 후회가 들었습니다.

서로 손을 맞잡고 울고 난 후에 나는 내 마음에서 그 분을 용서하고 이해했습니다. 그러고 나니 또 하나의 행복이 찾아 왔습니다.

다른 사람을 이해하고 용서하고 배려하는 마음을 가지니 내 스스로 마음이 너무 평온해지는 것을 느낄 수 있었습니다. 이 화해와 용서의 시간을 계기로 나는 다른 사람과의 소통을 매우 중시합니다. 소통하려는 노력을 하기 이전에 남을 탓하지 않는 것을 생활 신조로 살아 왔습니다.

나의 자식들도 절대 다른 사람을 먼저 탓하기 전에 먼저 상대방과 충분히 소통하려는 노력을 해보라고 가르치고 있습니다. 왜냐하면 다른 사람과 소통하면 다른 사람보다 먼저 자신의 마음이 평안해지며 행복해지기 때문입니다.

아마도 긍정의 에너지가 내면으로부터 뿜어져 나온 탓인지 다행히도 첫 장만 집에 입주한 이후부터 남편 일도 슬슬 잘 풀렸나갔고 덕분에 은행에서 대출받은 금액도 빨리 갚게 되었습니다.

두 아들에 대한 추억, 그리고 당부

워낙 먹고살기 바쁘게 지내다보니 아이들이 성장하는 것을 옆에서 지켜보면서 충분히 격려해주지 못한 것이 후회됩니다. 내가 과거로 되돌아 갈 수 있다면 고등교육을 받고 싶습니다. 공부를 하면서 지적 사색이 얼마나 우리의 삶을 행복하게 할 수 있는지를 느꼈기 때문입니다. 그리고 우리 아들들에게 좀더 많은 대화의 시간을 갖고 아이들과 함께 우리 인간의 삶의 목적인 행복을 어떻게 이룰 수 있을 지를 함께 생각해보면서 가족 생애 설계를 좀 더 치밀하게 하고 싶습니다.

태어났을 때부터 우리 부부를 걱정하게 했던 둘째 아들의 에피소드가 생각납니다. 큰 아들이 우신초등학교 1학년 때 일이었습니다. 학교 갔다 오는 길에 동네 형이 때렸다고 큰애가 울고 들어왔습니다. 그 동네 형보다 다섯 살이나 어린 우리 작은 아들이 그 소리를 듣고선 연탄 집게를 가지고 혼내준다고 뛰어 나갔는데, 지금 생각해도 형제애를 느끼게 되는데, 두 아들이 우애있게 잘 지내고 있어서 부모로서 흐뭇합니다.

우리가 처음 집을 사서 이사 온지 4년이 지난 1994년도에 도시가스 인입공사를 하면서 집을 올 수리를 했습니다. 연탄 냄새 때문에 머리가 자주 아팠기 때문에 마을금고에서 대출을 받아 집수리를 했습니다. 이때 어린 두 아들이 제가 인부들과 함께 집수리를 하고 있는 것을 지켜보다가 망치를 들고 자기들이 아궁이를 깨겠다고 같이 덤벼서 웃었습니다. 어린 마음에 엄마를 돕겠다는 생각에 자기들 팔뚝보다 더 긴 망치를 두 손으로 들려고 끙끙거리던 모습이 얼마나 기특해 보였는지 모릅니다.

부모로서 아들들에게 해주고 싶은 말은 " 뭐든 정말 자신이 하고 싶은 일을 하면서 살라"는 것입니다. 세속적인 사회적 성취 기준은 아무 의미 없다고 생각합니다. 이 다음에 늙어서 자신의 삶을 돌아볼 때 남의 시선 의식하지 않고 자기가 하고싶은 일을 하면서 살아왔다면 행복할 꺼 같습니다.

집과 마을은 우리 가족의 역사 그 자체

내가 현재의 신길5동 지역으로 이사를 한 것은 2006년 12월 23일 이었습니다. 낡은 노후 주택 밀집지역이라는 이유로 마구잡이식 아파트 개발을 추진하면서 주거환경이 열악해짐에 따라 반강제적으로 처음으로 마련했던 주택에서 이전할 수 밖에 없었습니다.

여기저기 발품 팔면서 다니다가 3층짜리 단독주택인 현재의 우리 집이 눈에 들어와 매입을 했습니다. 이때 큰 아들은 군대에 가 있었고, 작은아들이 대학에 입학할 준비를 하고 있었던 시기였습니다.

막상 이사를 와 보니 주거환경이 너무 열악하였습니다. 집 앞에는 쓰레기 집결장이 있었고, 노인정 뒤에 있던 음식물 처리통 2개에는 버린 음식물이 넘쳐서 악취가 심했습니다. 또 주차장이 부족하다보니 집 앞으로 들어오는 입구에 무단주차를 하고 연락처를 남기지 않으면 골목 안에 있던 7대의 차들이 꼼짝 못하는 불편함이 주민들간의 갈등까지 유발하고 있었습니다.

난 이같은 마을의 열악한 환경 개선을 위해 구청에 민원을 제기하여 구청 청소과는 쓰레기 문제를 해결하였고 주차문화와 공원녹지와 치수방재과 등을 찾아다니며 악취방지, 거주자우선 주차 및 불법주차 단속 등을 통해 조금씩 주거환경을 개선하는데 도움을 주었습니다.

그 와중에 전 동네와 같이 노후 주택을 허물고 아파트를 짓겠다는 지역주택조합 추진 브로커들이 사기와 다를 바 없는 허위과장 광고를 하면서 지역주민들을 불안하게 하였습니다. 내가 처음 마련한 우리 집도 재개발한다면서 쫓아내더니, 이젠 이곳마저도 또 다시 개발을 명분으로 나의, 우리 가족의 삶의 역사의 흔적조차 없애버리려 한다는 생각에 화가 났습니다.

많은 주민들이 집요한 지역주택조합 추진 브로커들의 협박과 선동에 불안함을 느끼던 2017년 6월 어느 날 동네언니가 '지역주택조합 사기 주의'라는 문구가 적힌 유인물을 나에게 전해주었습니다. 지금 우리 마을 공동체를 함께 운영하고 있는 조진형 대표가 쓴 것 이었는데 이 내용에 공감하여 유인물에 적힌 전화번호로 연락을 해서, 동네 언니 2명과 함께 만났습니다.

우리는 처음 만난 자리에서 집과 마을, 길의 인류문화학적 관점에서의 가치를 이야기 했고, 이에 공감하여 도시재생의 꿈을 함께 추진하기로 했습니다. 때마침 언론보도에 도시재생사업이 국가정책으로 추진된다는 기사 내용도 있어서 국토교통부를 거쳐, 서울시 도시재생지원센터 개소에 맞춰 도시재생을 위한 활동에 적극 참여하게 되었습니다.

도시재생사업을 온 마을 사람들이 함께하면서 우리 마을에 활기가 돌기 시작했습니다. 도시재생사업을 하기 전에는 자주 얼굴을 보기는 했어도 통성명하면서 교류하기보다는, 기껏 눈인사 정도가 고작이었는데, 도시재생사업을 함께하면서 청소도, 벽화봉사, 주거환경개선 사업도 같이 하면서 서로를 잘 알게 되었고, 지금은 길을 가다 마주치면 자매를 만난 것처럼 반갑고 정이 들었습니다.

나이가 들어가면서 무기력해져 가던 나의 삶이 도시재생사업을 추진하는 과정에서 다른 이웃들과의 정서적 교류와 도시재생사업의 공감대 확산을 위한 참여 설득을 위한 과정에서 나는 큰 자기 효능감을 느끼면 살아갑니다.

사실 도시재생 사업의 초기 단계에서는 단지 내가 살고 있는 집이 월세도 나오고 있기 때문에 이같은 경제적 이유로 지역주택조합 추진에 반대하는 성격이 강했지만, 본격적으로 도시재생사업을 추진하는 과정에서 집과 마을의 의미를 찾게 되었습니다.

이제 이집은 나의 삶, 우리가족의 성장사가 담긴 소중한 문화자산으로 여겨집니다. 나의 남의 여생을 여기서 우리 마을 형님들과 오순도순 정을 나누며 살고 싶습니다.

마을 이웃들이 아침 일찍부터 자기 집 앞, 화단을 깨끗이 쓸고 가꾸다 보니 어느새 우리 마을 골목길이 깨끗해 졌습니다. 이렇듯 우리 가족도 서로 사랑하며, 격려하며 살아오다 보니 어느새 우리 집도 고목나무처럼 느껴집니다.

난생 처음 자서전을 써보면서 지나 온 삶을 뒤돌아보니 오직 앞만 보고 열심히 살아 온 것 같습니다. 광고 카피처럼 가족을 위해 열심히 살아온 제 자신을 충전할 수 있는 인생 휴가를 떠나고 싶습니다. 자연인으로 살고싶은 생각이 드는 것을 보니 도시생활에 많이 지친 것 같습니다.

그러나 나는 지금부터 30년의 생애설계를 다시 시작하려 합니다. 이를 위해 나는 최근 버킷리스트 30개를 만들고 있습니다. 1년에 하나씩 꼭 해보고 싶은 일을 하나씩 해보면서 내 삶이 다할 때까지 자기 효능감을 느껴가면서 살아가는 멋진 윤순숙으로 자손들과 이웃들의 가슴속에 남고 싶습니다.

“ 이 마을에서 살면서 이루고 싶은 꿈들 ”

유 제 영

누구는 자서전을 쓰면서 자기의 노력과 성과를 또는, 맺힌 한이나 울분에 대해서 또는, 자신의 개성에 따라 각각의 형태로 쓰겠지만 나는, 남편과의 삶을 중심으로 내 인생의 자서전을 남기고 싶습니다. 남편 황보택 씨를 진심으로 사랑하고 존경하며, 그 분이 내 남편이라는 것에 무한한 자부심을 가지고 있습니다.

황보택 씨 고맙고 사랑해요!

“근옥아!, 영종아! 엄마, 아빠의 딸과 아들로 태어나줘서 고맙다. 엄마도 너희들의 엄마였다는 것을 자랑스럽게 생각한다. 그리고 미안하다.”

1남6녀의 다섯째 딸, 아버지의 딸 차별에 눈물흘리다

나는 1955년 6월 9일(음력) 충남 천안시 성거읍 정촌리 70번지에서 아버지(유수봉), 어머니(김선례) 사이에서 1남6녀중 5째 딸로 태어났습니다. 위로는 네 명의 언니가 있었고 밑으로는 남동생과 여동생이 하나씩 있습니다. 큰언니만 일찍 돌아갔고 다른 형제들은 서로 우애있게 지내고 있습니다.

위로 언니들이 줄줄이 있다보니 어릴 적엔 새 옷이라고는 모르고 다 언니들이 입던 낡은 옷을 물려받아 입곤 하였습니다. 그 중에서 제일 사랑하는 옷은 언니들한테서 물려받은 <골덴 잠바>이었습니다. 그 당시 흔치 않았던 잠바였고 촉감이 따뜻했기 때문에 추운 겨울엔 2Km ~3Km 떨어진 학교를 오가며 추위에 떨던 나에겐 아주 소중한 옷이었기에 그 <골덴 잠바>에 대한 기억은 지금도 잊을 수 없습니다.

나는 어릴 적 별명이 <쥐꼬리>였습니다. 내 이름인 '재영'의 발음을 사투리억양과 결합하여 '쥐영->쥐령이->쥐꼬리'라고 별명이 만들어 졌는데, 그 별명은 같은 동네에서 살던 남자애가 붙여 줬습니다. 그 친구네 집은 잘 살아서, 항상 배불리 먹고 따뜻하게 입고 다녔지만 나는 항상 춥고 배가 고팠습니다. 그 동갑내기 친구하고는 추억이 많습니다. 얼음판에 가면 그 친구가 썰매에 나를 앞에다 태워주고 나를 항상 보호자처럼 참 잘해 주었습니다. 지금도 그 애가 전화가 가끔씩 오는데 나보고 첫 사랑이었다고 농담을 하곤 합니다.

나는 어렸을적 추억을 떠올릴 때 마다 눈물이 나옵니다. 아버지로부터 딸이란 이유로 차별을 받았는데, 지금같으면 아동에 대한 정서적 학대와 다를 바 없었습니다. 초등학교 6학년 때 수학여행을 가야하는데 아버지께서 못 간다고 하면서 돈을 안 주셨습니다. 그래서 시무룩해서 있으니까 둘째 언니가 밥 먹고 설거지를 하고 어디를 가자고 해서 따라 갔는데 멀리 있는 이웃동네에서 우리 뒷집에서 살던 오빠가 이발소를 하는데, 그 오빠한테서 돈을 꾸어 저한테 주면서 수학여행을 갔다 오라고 해서 간신히 다녀왔습니다. 지금도 그게 너무 고마워 몇 십 년이 지난 오늘에도 둘째 언니한테 더 잘 하려고 노력한답니다.

셋째 언니의 시동생이 군 장교였는데, 그 분의 소개로 울산에 있는 군대 휴가지에 놀러가 형제들과 물놀이를 하면서 즐겁게 놀던 일을 지금도 잊을 수 없습니다. 우리형제는 지금도 형제애가 깊고, 친목이 정말 두텁습니다. 형제끼리 만나서 식사도 하고 고궁 산책도 한답니다.

나는 아버지의 차별때문에 초등학교밖에 나오지 못한 것이 평생 한으로 남아 있었습니다. 나는 어릴 적부터 동네에서는 친구들과 고무줄넘기, 공기놀이 등을 하면서 놀기 좋아했고 뭐든지 할 때 2등을 하면 싫어하고 1등을 해야 직성이 풀리곤 하였습니다. 국민학교에서도 특히 주산을 잘 해서 학교 주산 경연에서 반 대표로 뽑히곤 했습니다.

그런데 국민학교를 졸업하고 너무 공부를 하고 싶어서 아버지께 사정을 하였으나 아버지가 반대해서 가지 못하였습니다. 초등학교 담임 선생님께서 부모님을 찾아와 중학교에 진학시킬 것을 권유했는데 아버지가 여자는 배우면 못쓴다면서 호통하면서 안보내셨습니다.

동네 어린애들이 자기엄마에게 떼쓰고 울때는 "제영이아빠온다"고 하면 울음을 그칠 정도로 동네호랑이로 소문났던 아버지께서는 어린 우리 딸들이 밥먹을 때 젓가락을 밥상위에 맞출 때 조차 "어디 기집애들이 밥상에서 젓가락 소리를 내냐?"면서 호통치셨습니다. 때문에 나뿐만 아니라 언니들도 모두 초등학교만 졸업하고 중학교 진학을 하지 못했고, 남동생만 대학까지 교육을 시켰고 막내 여동생은 아버지가 돌아가신 후여서 대학까지 교육을 받을 수 있었습니다. 내 나이 23살 때 아버지가 돌아가셨는데, 돌아가셨다는 연락을 받고도 '혹시 아버지가 다시 살아나시면 어떻게 하나'하는 걱정을 하면서 집에 갔을 정도로 아버지에 대한 추억은 온통 아픔으로 남아 있습니다.

그래서 아버지 때문에 못배운 한을 풀기위해 얼마 전부터 마포구에 있는 일성중고등학교에 입학을 하여 공부를 하고 있는데 얼마나 공부가 재미있는지 하루하루가 즐겁기만 합니다. 초등학교 때는 산수가 재미있었는데, 지금 중학교 수학을 공부하려니 머리가 아프고 어렵습니다. 대신 요즘에는 한문공부에 빠져 한문자격증 4급에 도전하고 있습니다.

예전에 못했던 공부를 지금이라고 할 수 있는 여건이 되었다는 것에도 감사하고 학교에서 매일 새로운 지식을 배워 알게 되는 것 자체가 뿌듯합니다. 더 지혜로운 삶을 살게된 것 같아 몸은 피곤하지만 정신적으로는 무척 행복합니다. 하루 4시간씩 공부하는데 선생님께서 하시는 설명들이 귀에 쏙쏙 들어오고 과제들도 재미있어 학교에 가는 날만 기다립니다. 아마도 내가 그 동안 배움에 대한 굶주림이 너무 컸던 것 같습니다.

아버지의 사망으로 귀향, 그리고 남편과의 만남

중학교 진학을 하지못한 나는 서울로 올라와 공장에서 일을 하였습니다. 그 때 다니던 회사가 해태제과였는데 나는 2교대로 껌을 포장하는 작업을 하였습니다. 그때 만났던 친구가 있었는데 너무도 친하다 보니 우리는 시집가지 말고 같이 살자고 약속하였습니다. 남산공원에 놀러갔다가 오토바이족들을 만나 너무나 놀라 줄행랑을 치던 일도 기억이 납니다. 얼굴도 가물가물해지는 그 친구를 더 늙기전에 꼭 한번 만나보고 싶습니다.

나는 낮에는 회사에 다니고 밤에는 영등포에 있는 검정고시 학원에 다니곤 하였습니다. 그러던 중 늦은 밤에 학원에 갔다가 오는 버스에서 내리다가 넘어져 다리를 크게 다쳐 학업을 중단하게 되었고, 회복이 된 후 다시 직공으로 12시간을 일하며 3년을 열심히 일하였습니다. 그러다가 아버지가 돌아가셔서 다시 시골에 내려와 어머니를 도와 농사일을 하게 되었습니다.

시골에 내려 온지 3년이 되던 때 지금 남편 황보택 씨를 만나게 되었습니다. 시골에서 중매가 많이 들어왔는데, 시골로 시집가기 싫었던 차에 방문판매 화장품 아주머니 남편이 신랑의 형님과 동창이었던 인연으로 맞선을 보게된 것이 결혼까지 하게 되었습니다. 천안시내에 있는 다방에서 교회 권사님과 어머니가 나와 함께 맞선을 보게 되었는데 남편이 서울에 있는 회사를 다니고 있어서 선뜻 맞선보자고 했던 어머니가 막상 만나보더니 너무 말랐다는 이유로 싫어했으나 나는 남편에 대한 첫인상이 좋았습니다.

그래서 몇 번을 더 만나는 과정에서 어느날 데이트하면서 버스를 타고 가는데, 만원 버스여서 사람들에게 숨이막힐 정도였습니다. 그때 남편이 사방에서 압박되는 속에서 나를 보호하기 위해 건장한 팔과 가슴으로 나를 감싸 안았는데 그 가슴이 너무 따뜻했고 나를 배려해주고 있다는 생각이 들었습니다.

그래서 나는 남편과 결혼을 결심하고 1978년 12월 29일 결혼식을 올렸습니다.

신혼 여행은 온양 온천으로 다녀왔는데 지금도 그때를 생각하면 행복합니다.

넉넉하지는 않았지만 소박한 행복이 있었던 결혼 생활

결혼생활 3개월 되던 때 첫아이를 임신하고 입덧을 시작하게 되었는데 먹기만 하면 토하고 너무 힘들었습니다.

다른 음식은 먹고 싶지 않았는데 갑자기 참외를 먹고 싶은 생각 밖에 없었습니다. 그래서 참외가 먹고 싶다고 말했더니 다음날 남편이 퇴근해서 집에 들어올 때 뒤짐을 지고 숨겨가지고 와서 나한테 참외를 쑥 내미는데 너무 고맙고, 사랑스러웠습니다.

나만을 위한 남편, 그때는 나에게는 그것이 행복의 전부였습니다. 지금의 주름진 남편 얼굴을 보면 '그 잘생겼던 얼굴이 내가 속을 썩여서 이렇게 늙었구나' 하는 자책도 해봅니다.

시어머님께서는 나를 엄청 사랑해 주셨습니다. 며느리 네 명 중에서 셋째 며느리인 나를 제일 예뻐해 주셨습니다.

내 생에서 가장 즐거웠던 시절이 바로 시어머니의 사랑을 받으며 신혼생활을 하던 시절이었던 것 같습니다.

그러나 지금도 시어머니한테 사랑만 받고 효도를 다하지 못한 것이 너무 죄송스럽습니다. 시어머니께서 대상포진이 심해서 병원에서 마약성분의 진통제 15일분을 지급했는데, 너무 고통스럽던 시어머니께서 진통제 15일분을 한꺼번에 드신 후에 급성 치매가 오셨고, 급기야 배변을 가리지 못하시게 되어 우리집에 오시지도 못하고 치료를 받다 돌아가신 게 평생 후회됩니다.

그렇게 시어머니의 배려와 남편의 사랑을 받으며 신혼을 보내다가 세월이 흘러 어느덧 1남1녀를 둔 엄마가 되었습니다. 나에게는 사랑스러운 딸 황보 근옥 과 든든한 버팀목이 되어주던 아들 황보 영종 이렇게 사랑하는 두 자식이 있습니다. 첫 애가 딸이라고 시부모님께서 실망하셔서 울었던 기억이 납니다. 그 때 남편이 아무 말 없이 나를 꼭 안아주어 위로가 되었습니다.

딸애 이름은 우리부부가 지었고, 아들 이름은 그 시절에 공부를 많이 하신 시댁의 사촌형님께서 제일 좋은 이름이라고 지어주셨습니다. 산후 조리를 하는데 남편이 항상 곁에 있어 줘서 너무 좋았습니다. 다른 분들도 마찬가지겠지만 나는 친정 부모나 시부모보다 남편이 곁을 지켜주니 엄청 편하였습니다.

우리 딸은 태어나서 지금까지도 너무도 착하게 컸습니다. 조용하게, 누구한테 한 번도 애를 먹여본 적이 없이 성장하여 왔고, 부모님이나 선생님들한테는 항상 모범생이었습니다. 딸아이를 키우면서 고생하던 기억이 별로 나지 않습니다. 지금도 생각하면 딸에게는 미안한 이야기지만 나는 아들이 너무 귀여워 아들을 위해서라면 죽을 수도 있다는 생각으로 살았었습니다. 지금도 아들이 공부를 너무 잘해서 행복하던 그 시절이 그립습니다. 중학교에 다닐 때에는 항상 1등~5등 안에 들곤 하였습니다. 고등학교를 들어가더니 공부가 조금 딸리는지 학원을 보내달라고 하였습니다. 한 과목에 40만원씩 하였는데 집을 팔아서라도 아들을 공부시키려고 학원을 데리고 갔습니다. 두 번을 학원비를 냈는데 아들이 집 형편을 알고는 내가 공부하는 방식을 알았으니 이제는 학원을 안 간다고 하는 겁니다. 그러고는 외고 2학년때 우등상을 받아 오는 겁니다. 아들 때문에 사는 재미가 있었습니다. 지금은 아들이 포항공대를 졸업하고 LG에서 근무하다가 삼성증권에서 일하고 있습니다.

결혼하면 아들이 남의 사위가 된다는 말처럼 장가 간 아들한테 아주 가끔씩은 예전처럼 우리 부부를 생각하는 어린 아들처럼 대해줬으면 하는 마음에 아쉬운 마음이 있기도 하지만 아빠, 엄마에게 공부를 잘하여 힘을 주던 그때를 생각하며 잊고는 한답니다. 이렇게 모범적인 아들도 내 속을 태웠던 때가 있었는데 고2때 통근 버스를 타려면 7시에 도시락을 싸가지고 다녔는데 어느 날 아들 필통을 두고 갔기에 필통을 열어 봤다가 아들이 담배를 피우는 것을 알게 되었습니다. 내가 야단을 치니 다시는 담배를 안 피우겠다고 하는 것입니다. 그렇게 약속을 하고 나서 얼마 후 동네 아줌마 한 분이 아들이 다른 애들과 담배를 피우는 것을 봤다고 얘기 해주었습니다.

내가 아들한테 울면서 어떻게 엄마를 실망시키느냐고 야단을 치니 다시는 담배를 안 피우겠다고 하는 것입니다. 그때 누나가 안 그래도 동생이 공부를 하면서 스트레스를 받는데 그만 야단을 치라고 나를 말렸습니다. 그 후에도 아들은 담배를 끊지 못하였습니다.

지금도 사위와 아들이 둘 다 담배를 피워 두 사람의 건강이 너무 걱정이 되어 담배를 끊는 사람한테는 포상금으로 50만원을 주겠다고 선포하였습니다. 얼마 후에 사위가 담배를 끊어서 포상금으로 50만원을 주었습니다. 아들은 담배를 끊지 못하고 있다가 장가를 가서 자식을 낳고 바로 끊었습니다.

지금 같으면 아들하고 딸한테 사랑을 많이 주면서 키웠을 것 같은데 그때는 애들한테 칭찬에도 인색했고 너무 야단을 치면서 키운 것이 너무 미안한 생각이 듭니다.

결혼을 해서 5년 동안 광명시에서 살다가 신길6동 남서울 아파트에서 1983년 10월 9일 내 생애에 첫 집을 마련하게 되었고 이사를 하게 되었습니다. 그날이 <아웅산 테러>사건이 일어났던 날이어서 세상이 시끄러웠었던 것 같습니다. 그렇게 생애 첫 집을 장만하고 그해 12월 14일에 아들 돌잔치를 크게 했습니다.

자상했던 남편이 낚시에 빠져 위기가 오다

신혼 때 한없이 자상했던 남편이 어느 날 부터 낚시에 푹 빠져 있었습니다. 틈만 나면 낚시를 혼자가면서 가족을 방치하다시피 하니 자연스럽게 부부간에 언쟁도 많아졌습니다. 낚시에 푹 빠지다 보니 딸이 10살 되던 해에는 시어머니 생신에 애들을 데리고 가야 하는데 자기는 낚시를 갈 테니 애들 데리고 나만 가라고 하는 겁니다.

순간 나도 화가 나서 당신이 낚시를 혼자 즐기니 나도 취미로 춤을 배우러 다니겠다고 하였습니다. 그랬더니 처음으로 나의 따귀를 때리는 겁니다. 그때 코피를 많이 흘렸는데 남편이 놀라서 자기가 잘못을 했으니 병원에 가자고 나한테 사정을 하였습니다. 나는 끝내 병원에 가지 않았고 이혼하자고 하면서 이틀 동안 단식투쟁에 들어갔습니다.

이틀이 지나던 날, 나의 상태가 걱정이 된 남편이 억지로 밥을 먹으라고 숟가락을 입에 무작정 떠 넣어주는데 밥알이 혀끝에 닿는 순간 마음은 뱉아 내고 싶었는데 뱃속과 입에서는 이미 받아들이고 있었습니다. 그래서 남편으로부터 두 번 다시 낚시를 다니지 않겠다는 약속을 받고 화해를 했습니다

고마운 것은 이 사건이 있은 후 교회를 다니지 않았던 남편이 정말 낚시도 끊고 나와 함께 교회를 다니기 시작한 것입니다. 그때부터 지금까지 우리 부부는 주말마다 교회를 한 번도 안 끊고 꾸준히 다니고 있습니다.

IMF와 나의 암진단, 그리고 극복

우리 가족의 삶에서 가장 어려웠던 시기가 IMF때였습니다. 그때는 수입이 없어서 금전적으로 너무 어렵게 살았었습니다. 남편이 시동생의 권유로 중장비회사를 차려서 운영하다가 IMF 때 회사를 정리하다 보니 한동안 생활고에 시달렸습니다. 그때 너무 힘들어서 17평짜리 집을 사놨었는데 그걸 팔아서 간신히 버텼습니다.

지금도 생각하면 중장비회사를 안 차리고 다니던 회사를 그냥 다니면서 광명시 철산동에 있는 아파트를 샀다면 우리인생이 어떻게 변하였는지 모르겠다는 생각이 들고 별다른 일이 없

이 살았을 텐데 하는 후회됩니다. 특히 그때 딸애가 폐렴과 대상포진으로 병원에 입원하여 마음 고생이 더욱 컸습니다.

IMF때 남편은 중장비회사를 정리하고 쓰레기분리를 하는 미화회사에서도 일을 하고 보일러회사를 다니면서 출장도 많이 다녔습니다. 그러다보니 남편이 시력도, 허리 건강도 악화되어 걱정이 많았습니다.

그러던 어느날 나에게도 유방암이란 진단이 내려졌습니다. 진단을 받는 순간 아들을 결혼시켜야 하는데 암이라니.....,내 건강보다는 아들 결혼 걱정이 앞서 속이 타던 생각을 하면 지금도 눈물이 납니다.

다행히 수술 후 악화되지 않아 7개월 후에 아들이 결혼을 하였고. 지금은 건강을 회복하여 꾸준하게 일주일에 세 번씩 운동을 합니다, 스트레칭도 하고 자전거도 1시간씩 탑니다. 남편이 수술기간 내내 한 번도 자리를 안 뜨고 자기 손으로 밥을 지어 나를 간병해 주었습니다. 남편의 적극적이고 희생적인 노력이 없었다면 내가 건강을 회복할 수 없었을 거라고 생각합니다.

나는 다시 태어나도 지금 남편과 같이 살 겁니다. 내가 남편을 만난 것은 나에게는 정말 행운입니다.

<아이들이 어렸을 적 우리 가족 사진>

나의 명의로 등기된 나의 집에서 여생을 마치고 싶어

신길동으로 시집을 오면서 40년을 살다보니 제2의 고향이 되었습니다. 신길6동 아파트에서 25년을 살고 신길3동으로 이사하면서 집을 공동명의로 하였었습니다. 2015년 12월 25일, 지금 사는 집으로 이사를 오면서 남편은 나의 명의로 돌려주었습니다.

신길5동 우리 집은 주거환경도 조용하고 시장과 지하철역, 교회, 병원도 가까워서 우리가 살기에는 딱 맞는 곳입니다. 전에 살던 집에서 유방암 수술을 해서 힘들었는데, 이곳에 와서는 땅은 기운이 좋아서 그런지 암 치료 회복도 빨리되고 동네 이웃들과도 친하게 지낼 수 있어서 하루하루가 행복합니다.

특히 우리 동네가 도시재생사업의 일환으로 2018년 7월 한달 동안 약 300명의 대학생들과 주민들이 골목길을 아름다운 글과

그림의 벽화 골목으로 만드느라 땀을 흘리는 모습은 정말 아름답고 뿌듯한 장면이었습니다. 한번도 해보지 못한 백시멘트로 벽돌 사이 사이를 메꿔주는 작업을 마을 어르신들이 손수하면서 어린 대학생들의 간식꺼리까지 챙겨주시는 모습에서 우리 마을 주민들이 자랑스럽게 느껴졌습니다.

그렇게 한달이 넘도록 애쓴 결과 우리집이 있는 골목길은 우리 마을의 명소가 되어 다른 동네 사람들과 학생들이 사진을 찍으며 답사하는 아름다운 벽화거리로 자리매김하였습니다. 우리집 대문도 예쁜 그림이 그려져 우리 집이 더 예뻐졌습니다.

우리 부부는 이곳이 마지막 집으로 생각하고 이 마을 주민들과 이웃사촌으로 정을 나무면서 행복하게 여생을 마치고 싶습니다. 아파트개발을 추진하는 건축브로커들이 우리 마을의 주거환경을 의도적으로 해치는 짓을 서슴없이 하고 있음에도 우리 마을 주민들은 내 집은 내가 지키고 우리 마을은 우리 스스로 가꾼다는 마음으로 도시재생을 통해 주거환경을 개선시켜 나가기를 원하고 있으며, 나 역시 남편과 이에 적극 동참하고 있습니다.

이 집과 이 마을에서 살면서 이루고 싶은 꿈들

얼마 전에 딸 가족들과 괌 여행을 갔었는데 9살 난 손주 정민이가 역사이야기 (임진왜란 때 이순신장군의 전투기록 등)를 하는 것을 보고 너무 기특하고 대견스러웠습니다.

어떻게 그런 것을 알게 되었니 라고 물으니 학교에서 배웠고 역사만화에서도 봤다고 합니다.

우리 품세리 마을 주민모임이 있을 때마다 항상 듣는 말이 있습니다. “세상에서 제일 행복한 사람은 영원히 잊혀지지 않는 사람입니다” 라는 것인데, 이순신장군 무용담을 이야기하는 손자의 이야기들 들으면서 나 역시 이담에 내가 죽으면 나를 기억해줄 수 있는 사람이 누가 있을 까 생각해봤습니다.

가족도 있겠지만 오히려 마을의 이웃사촌들이 평상시 교류하던 사람들의 기억을 오래 간직함을 아산 한옥마을의 집집마다의 별칭을 듣고 알 수 있었습니다.

나와 남편 역시 이 담에 우리가 세상을 떠나도, 우리가 살았던 이 집을 바라보면서 우리 부부를 기억해 줄 수 있는 이웃이 있다면 행복할 것 같다는 생각이 들었습니다.

지금 우리 마을에서 추진하고 있는 도시재생 사업을 통해 이 같은 마을 문화를 만들어가고 있습니다. 그래서 우리 부부는 이 마을에 사는 것이 자랑스럽습니다.

나는 앞으로 여생을 마치기전까지 내가 하고 싶은 것을 꼭 이뤄보고 싶습니다.

먼저 못 배운 한을 풀기위해 체력이 받쳐주는 한 대학까지 공부해보고 싶습니다. 그래서 이 마을에서 아이들을 위한 한문교육이나 인성교육을 시킬 수 있는 능력을 갖추고 싶습니다. 두 번째로는 오카리나, 하모니카, 피아노 등 최소한 악기 3개를 다룰 수 있는 능력을 갖춰 내 나이 칠순 때는 내가 가족을 위해 직접 연주하고 싶습니다. 세 번째는 화가가 되어보고 싶습니다. 미술관에 있는 미술작품을 본적이 있는데, 구체적으로 설명할 수는 없어도 느낌으로 화가의 생각을 읽을 수 있었습니다. 그런 점에서 화가는 그림 한 장으로 수 백 장의 글을 압축해서 표현하는 천재적 예술가라는 점에서 그런 그림을 그려보고 싶습니다.

마지막으로는 우리 손자 손자들이 명절에 놀러와도 마음껏 뛰놀 수 있는 넓은 집을 우리 손으로 직접 만들어 보고 싶습니다.

이 네 가지 소원은 내가 유방암 진단을 받은 직후 생각해봤던 것인데, 이 마을에 살면서 꼭 이뤄내고 말 것입니다.

◦

봉사자, 활동가들의 후기와 주민활동 사진

▲ 구술 기록 봉사자 후기

" 한편의 드라마 대본을 보는 듯 "

진형복

사회복지현장 실습생으로서 품세리 마을 어르신의 자서전 쓰기에 대한 참여 제안을 처음 받았을 때, 과연 내가 어르신들의 삶을 얼마나 잘 담아 낼 수 있을지, 그리고 어르신들이 자신의 긴 인생을 체계적으로 말씀을 잘해주실 수 있을까? 걱정부터 했습니다.

하지만 어르신과의 인터뷰를 하면서, 어르신들에겐 노인들만이 가진 지혜와 달관에 저절로 한편의 드라마 대본을 보는 듯 했습니다. 굴곡진 삶에 대한 원망도 해보고, 남탓도 해보지만 결국 어르신들은 모든 것을 다 용서하시고 이해하면서 수용하셨습니다. 자서전을 쓰시면서 얼굴표정이 변화되는 모습을 보면서 노인의 삶의 질을 향상시키는 솔루션으로도 자서전 쓰기를 권하고 싶다는 생각이 들었습니다. 구술 자료를 정리하면서 저도 나이가 들면 꼭 자서전을 쓰면서 인생을 스스로 되돌아보면서 남은 여생을 의미 있게 살아가야겠다는 생각을 하게 되었습니다.

몇 주 간에 걸친 인터뷰하신 어르신께 감사드립니다.

▲ 구술 기록 봉사자 후기

" 제 삶을 돌아 볼 수 있는 계기가 되었어요 "

이 명 숙

글쓰기에 익숙하지 않으신 어르신들이 자서전을 쓰도록하기 위해 구술 인터뷰에 참여하게 되었는데, 제가 한 것이라곤 그저 어르신 이야기를 들으며 같이 웃고 울었을 뿐 인데 그 시간이 저에게는 소중하고 의미 있는 시간이 되었습니다.

"가슴속 깊이 있던 말들을 다 쏟아 놓고 나니, 이젠 오랫동안 먹었던 수면제 안 먹어도 잠이 들어." 라는 말씀이 기억에 남습니다. 가슴이 찡했습니다. 자서전을 쓴다는 것은 자서전의 주인공에게도 소중한 일이지만, 함께 참여했던 저에게도 스스로 제 삶과 부모님, 자녀에 대해서 부양자 도는 피부양자로서의 역할을 다했는지를 돌아보게 하였습니다.

이런 점에서 자서전 쓰기는 노인 분들의 자기치유 프로그램으로 접목해도 좋겠다는 생각이 들었습니다. 어르신들 건강하세요. 사랑하고 응원합니다.

▲ 구술 기록 봉사자 후기

" 어르신들의 사연을 정리하는 과정에서
친정엄마의 마음을 더 헤아리는 계기가 되었어요 "

정 선 경

어르신들이 자서전 쓰기를 통해 자신의 살아온 인생을 이야기하면서 저 깊은 가슴 속에 감춰두었던 이야기까 지도 말씀하신 후에, 원망하던 대상을 미워했던 마음도 자서전 쓰기를 하면서 용서하는 변화된 모습도 보게 되었습니다.

자서전 쓰기가 노인의 삶의 질 뿐만 아니라 심리정서적으로 가슴에 남아 있는 트라우마를 치유하는데도 긍정적 영향을 줄 수 있음을 체감했습니다. 저 또한 어르신들의 사연을 정리하는 과정에서 친정 엄마의 마음을 더 헤아리는 계기가 되었고 저의 짧은 인생도 되돌아 보는 좋은 경험이었습니다.

이 자서전은 세속적 성취를 이룬 사람들의 잘난 이야기가 아니라, 성실하고 열심히 살아오신 평범한 어르신들의 삶의 흔적이라고 더욱 의미있는 작업이라고 생각합니다. 이 자서전이 품세리 어르신들께 자긍심으로 남을 수 있는 소중한 추억 기록이 되었으면 합니다.

▲ 구술 기록 봉사자 후기

" 어떻게 사는 것이 행복하게 사는 것인가를 생각해 보게 한 소중한 시간이었습니다 "

박 서 준

지나간 일을 회상하면서 아픈 기억에 울컥울컥 눈물짓고, 떠올리기 싫었던 과거의 일들을 나에게 허심탄회하게 이야기해주신 어르신의 용기에 감사를 드립니다. 있는 그대로 지난 날의 추억을 소환하여 울고 웃으며 소소하게 풀어내는 이번 자서전 인터뷰는 어르신의 삶 속에서 삶의 지혜를 배우고 내가 걸어온 길들에 대하여 뒤돌아보면서 어떻게 사는 것이 행복하게 사는 것 인가에 대하여 진지하게 생각해보는 시간이었고, 좋은 분들과 함께 하여 더욱더 행복한 시간이었습니다.

자식들에 대한 부모의 사랑이 얼마나 깊은가에 대하여 잘 알게 되는 시간이었고, 부모님에 대한 존경심과 부모로서의 의무를 어떻게 하면 잘 해낼 수 있을까에 대하여 진지하게 고민하게 되었습니다. 자서전쓰기는 한 사람 인생이야기를 통하여 주변 사람들까지도 인생의 의미를 되짚어보고 행복한 삶을 위해 노력하도록 만드는 데 의미가 있다고 생각합니다. 감사합니다.

▲ 활동가 후기

" 자서전을 통해 몸 밖으로 나온 지난 세월 살아온 응어리 "

품세리마을 도시재생희망지마을

자서전 봉사자 **김 정 태**

품세리 마을 어르신들이 자서전 쓰기 위한 동기유발 교육을 부탁받은 것을 계기로 교육과 실제 자서전 쓰기 활동에 참여하면서 느낀 보람과 감동이 너무 컸습니다. 마을 어르신들에게 자서전이 어떤 의미가 있는지, 자서전을 왜 쓰는지, 어떻게 동기부여를 할 수 있을까? 고민하며 자서전 쓰기 작업에 의미를 찾았습니다.

자서전을 쓰기를 결정한 후 품세리 마을 어르신들은 마음속으로 많은 생각이 교차하는 모습이었습니다. 전형적인 한국의 어머니 상으로 살아오시면서 삶의 각 단계별로 누구에게나 자랑하고 싶은 이야기도 많지만, 세상 어디에도 말할 수 없는 사연도 많으리라 짐작이 되었습니다.

"이 이야기는 남편도 모르는 일인데……"
"내 딸이, 손주가 알면 절대 안 되는 사연이 있는데……"
"어디까지 이야기를 꺼내야 할지 모르겠는데……"
"다시 생각하고 싶지도 않은 일인데 왜 지금 와서, 그 과거를 다시 생각해야……"

1차로 자서전을 쓰기로 결정한 어르신들은 약속한 날에 네 분만 오셨습니다. 품세리 마을에 사신지 30-40년이 되신 분도 많아 마을에서 살아온 이야기도 들어가지만 자서전이 자신의 이야기를 쓰는 거라 개인적인 가족, 친정, 시댁에 관한 이야기가 대부분이어서 각자 각 방에서 구술봉사자들과 1 : 1 로 자서전 쓰기를 진행하였습니다.

자서전 쓰기를 시작 한지 10여분이 지나자 각 방에서는 눈물과 한숨과 큰 소리로 원망을 하는 소리가 나기 시작하였습니다. 미리 예상은 하였지만 어르신들의 가슴속의 恨은 내가 상상하는 것을 훨씬 뛰어 넘어 통곡의 눈물바다가 되기도 하였으며, 마치 봉사자가 당사자인 듯 원망의 목소리를 높이는 모습을 보았습니다. 어르신 인생에서 하루도 맘 편히 뒤를 돌아보며 살 수 있는 날이 없었으며 지금 이 순간에도 가슴속에 恨을 만들고 있는 분도 있으리라고 짐작이 되었습니다.

그랬습니다! 어르신의 恨은 지금도 현재 진행형이었습니다. 그동안 살아오며 평생 말하지 못한 가슴속의 응어리 恨을 제 3자인 봉사자에게 쉬지 않고 다 풀어내고 있었습니다. 마치 "임금님 귀는 당나귀 귀!" 라고 그 오랜 세월 동안 마음속에 숨겨 놓고 살아오신 응어리를 크게 외쳐서 몸 밖으로 다 내보내고 있었습니다.

2차 자서전을 쓰는 날에는 날씨가 흐리고 비가 내리며 꽃 샘 추위를 느끼게 하는 으스스한 오후였습니다. 어르신 마음에 따스한 봄이 오기를 바랐는데 날씨가 아쉬웠습니다. 그러나 약 2주 만에 만나는 어르신들은 사뭇 표정이 달랐습니다. 1차 자서전 쓸 때와 달리 집에서 만두를 빚어서 삶아 오신 분, 녹차를 가져 오신 분도 있었고 모두 다 약속을 하신 듯 추억의 사진을 한 가득 들고 오셨습니다. 표정도 밝아지셨고 자세도 뭔가 지난 미팅 때와 다르며 말씀과 행동에서 당당함을 느낄 수 있었습니다.

이게 무슨 상황일까? 이제 한 번 자서전 쓰기를 진행했는데...... 혹시 벌써 자서전 쓰기의 효능감이 나타난 것인가? 그랬습니다. 어르신들은 목요일 주민정기회의에서 '자서전 쓰기' 이야기가 나왔을 때부터 이미 자서전을 마음속으로 과거를 생각하며 쓰기를 시작하여 어르신들이 살아오신 기억을 연상하며 지나온 세월, 일생을 돌아보기 시작하였던 것이었습니다. 그 오랜 세월 동안 마음속에 숨겨 놓았던 응어리를 1차 미팅에서 크게 외쳐 몸 밖으로 다 내보내신 것 이었습니다.

옛날 사진을 뒤적이다 50년 동안 애써 잊어버리려고 노력 하였던 아버지 사진을 보고 생각하고 또 생각하다 이제는 용서를 하고 아버지 사진을 확대하여 침대 머리맡에 두고 매일 아침에 "아버지~~"를 불러 보는데 50년 동안 한 번도 아버지 란 말을 해 본적이 없어서 아직 발음이 잘 안 된다고 웃으면서 말씀하시는 어르신 이야기. 젊은 신혼 시절에 방 빼라고 하며 가슴에 원한을 주었던 악덕 집주인과 법적 소송을 벌이며 대판 싸워서 최근까지도 한 동네에 살면서도 길가다 마주쳐도 외면하며 살아왔는데 집 주인이 이제는 몸이 좋지 않고 자식도 몹쓸 병에 걸려 입원하고 있다는 얘기를 듣고 가슴이 아파 병문안을 갔다 오신 어르신 이야기를 들을 수 있었습니다.

자서전쓰기는 무엇보다도 진정한 자신을 찾아가는 과정입니다. 자신의 정체성을 발견하는 것으로 진정으로 나는 누구이며 어떻게 살아왔고 앞으로 어떻게 살 것인가를 진지하게 고민하는 자아 성찰의 과정입니다. 스스로 성취감을 찾고 용기를 가지고 남은 인생을 주도적으로 살아가며 내 인생의 행복 가치를 찾아가는 보람 있는 자서전 쓰기 활동이었습니다.

"품세리 어르신들, 늘 건강하세요."

▲ 활동가 후기

"그 곳에 가면 사람 향기가 납니다."

마음으로 그리는 사진 활동가
김 영 조

주민 스스로 마을 주거 환경을 바꿔 보자는 뜻을 품은 착한 사람들, 사람의 정이 담긴 마을 문화를 지켜 가자는 의지를 가진 마을 공동체, 서로 정을 나누며 살아가려는 꿈을 간직한 아름다운 사람들이 어우러져 살고 있는 신길동 품세리 마을이 바로 그 곳 입니다.

자원봉사자로서 희망지 마을 사업 과정을 기록사진으로 담아달라는 요청을 받고, 마을의 변화해 가는 모습을 카메라에 담기 위해 이 골목, 저 골목을 돌아보며, 이런 동네가 서울에 존재하고 있다는 사실에 신기함을 느꼈습니다.

비록 오래된 건물들도 있고, 외부 투기꾼들이 매입한 후 방치해놓은 낡은 건물에 지역주택조합추진위원회에서 주민들을 압박하기 위해서 붉은 페인트로 낙서를 해 놓은 곳도 있었지만 제가 신기하게 느껴졌던 것은 외관이 아닌 사람들의 모습이었습니다. 동네에서 마주치는 주민들이 마치 한 가족처럼 교류하며 생활하고 있는 모습을 보면서, 아래 윗 층에 살면서 엘리베이터에서 마주쳐도 눈인사 한 번 제대로 하지 않고 살아가는 아파트 생활에 젖은 나에게는 더욱 그러했습니다.

한 달에 한 번 주민들이 마음을 모아 펼치는 골목 장마당에서는 바자회를 겸하고 있었는데, 물건을 파는 것인지 동네 사람들 간의 정을 나누는 것인지 분간이 안 될 정도로 시종 즐거운 동네 잔치 분위기였습니다.

우리 마을은 내 손으로 깨끗이 한다는, 하나 된 마음으로 벌이는 아침 마을 청소 역시 누가 먼저라 할 것 없이 구석 구석을 청소하는 모습은 감동적이었습니다. 구석구석에 숨어 있고 깊이 박혀있는 담배꽁초까지 걷어내는 청소모습을 보면 마지못해 참여하는 청소가 아닌 깨끗한 동네 골목길을 만들고자하는 주민들의 마음이 드러나 있습니다.

도시재생 사업 성공사례 마을을 견학할 때는 동행한 마을주민들 모두가 우리 마을에 벤치마킹할 꺼리는 없는지 꼼꼼하게 살피는 진지한 모습에서 우리 마을도 더욱 잘 할 수 있다는 의지를 엿볼 수 있었으며, 힐링 프로그램 차원에서 연계한 고궁 탐방 시간에는 청순한 소년 소녀 시절로 돌아간 듯한 해맑고 천진한 미소도 볼 수 있었습니다.

매 주 목요일 저녁에 열린 도시재생대학 교육프로그램으로 진행되었던 주민들의 역량강화를 위한 워크숍 시간때는 마치 수험생과 학부모들을 대상으로 한 입시설명회만큼이나 진지함과 뜨거운 토론이 있었습니다. 또한 주 1회정기적으로 진행해 온 주민모임은 무려 2년이 넘도록 꾸준하게 이어져 왔는데 아무런 연락도 없음에도 목요일만 되면 마치 퇴근길에 집에 가야 하는 것 인양 자연스럽게 자발적으로 참여하는 분들이 대부분이었습니다. 이 시간에는 도시재생 사업의 추진 상황, 주민들이 궁금해 하는 사항들에 대하여 추진단 대표가 상세한 설명을 하면서 주민들의 이해를 돕고 도시재생에 대한 공감대 확산과 주민역량강화에 큰 역할을 하였습니다.

도시재생 사업은 지역 정체성 기반의 문화 가치와 경관 회복을 위해, 쇠퇴 구도심 등이 보유하고 있는 역사적·문화적 정체성을 활용하여 품격있는 공간을 조성하고 문화서비스를 확충하는 기능을 합니다. 또한 살고 있는 지역의 쇠퇴 문제를 주민들 스스로 직접 고민하며 해결방안을 도출하는 역량 있는 주민을 육성하고, 민관거버넌스 협조체계를 이루어 지역 자원에 기반한 자율적 재생을 추진하는 것이 그 방향이라고 할 수 있습니다.

신길동 품세리마을은 마을주민들의 적극적인 도시재생에 대한 의지와 실천역량 그리고 그분들이 갖고 있는 '집'에 대한 가치 인식을 고려할 때 도시재생 사업의 주체로서 부족함이 없다고 확실한 믿음을 가지게 되었습니다.

신길동 품세리마을이 도시재생활성화 지역으로 선정되어 그동안 노력해 오신 주민들이 보람도 느끼고, 이를 바탕으로 더욱 의기투합하여 사람 사는 맛이 있는 행복한 마을문화를 보존해 가시기를 기원합니다.

▲ 활동가 후기

" 서로에게 영원히 잊혀지지 않는

행복한 사람들이 살고있는마을. "

품세리마을 도시재생희망지마을

서 인 숙

신길5동 품세리 마을 공간 활동가로 마을 골목을 다니며 보고 듣고 느끼며 같이 한 지난 9 개월이 저에겐 집과 길, 마을의 의미를 되돌아 볼 수 있는 계기가 되었습니다.

동,서,북쪽으로 세 개의 직선도로와 남쪽의 하나의 곡선도로로 이루어진 품세리 마을은 정형화된 계획도로 주변으로 형성된 마을과는 참 많이 다릅니다. 어느 골목은 너무 좁아 차가 다니지 못하고, 어느 길은 미로 같아서 막다른 대문을 만나 돌아가야 합니다. 그러나 이 길이야말로 수 백 년 전부터 이어져 온 토지경계선을 따라 자연스럽게 형성된 마을길이라는 점에서 그 가치가 새롭습니다.

집집마다 사는 이들의 가족사가 담겨있고, 골목길마다 이웃 간의 정이 담긴 이곳, 품세리 마을. 이집 저집, 앞 골목 뒷골목마다 담긴 사연과 배어있는 정은 다들 다르지만, 품세리 사람들은 힘들고 속상한 날에는 옥상에 올라 지나가는 바람에 속내를 훌훌 털어 버립니다. 햇볕이 좋은 날은 상추를 키우고 화초를 가꾸며 사람 대하듯 손을 주고 마음을 나눕니다. 햇볕이 친구가 되고 바람이 친구 되는 마을입니다.

이곳 품세리 마을에서는 사람도 집도 함께 나이 들어가는 친구입니다. 나이 들며 내 몸이 하나둘 아픈 것처럼 집도 여기저기 낡아가자, 손을 보고 고쳐가며 집과 함께 오래오래 살고자 합니다. 이분들에게 집은 자신의 삶의 발자취이자 가족의 역사이기에 억만금을 준다 해도 자신의 삶의 터전이었던 이곳을 떠나기를 거부합니다. 어떤 어르신은 이렇게 말씀하셨습니다. "아파트를 짓겠다면서 집을 허물면 그건 내가 허물어지는 것이여."

지난 3년 동안 주민들은 매주 목요일 저녁 7시에 연락이 없어도 스스로 모여, 희망지 사업 이야기를 나누고, 수다도 늘어놓으며 정을 쌓아갑니다. 한 달마다 열리는 바자회를 위해 오래된 옷을 빨아서 나누고, 안 쓰는 물건들을 모아서 재생합니다. 물건을, 마을을 재생하듯이 품세리 마을에서는 사람도 재생합니다. 몸도 마음도 도시재생을 하기 이전과는 너무나 달라졌습니다. 도시재생을 성공시키고자 하는 모두의 꿈이 생겼고, 그 꿈을 함께 이루어가는 사람들의 열정이 넘쳐납니다.

오늘 도시재생이 자신들의 삶속에서 왜 중요한지, 어떻게 해야 하는지 품세리 사람들은 잘 알고 있습니다. 자신과 가족, 이웃과의 추억이 머물고 있는 시간과 공간을 기억하고, 품세리의 꿈과 연계하여 마을공동체의 역사를 함께 쓰고 있습니다.

▲ 활동가 후기

" 당신들의 이야기를 지키고 싶어하는 정이많은 사람들 "

품세리마을 도시재생희망지마을
공간활동가 김 동 원

아파트로 대표 되는 서울의 주거 형태에 염증을 느끼고 땅이 있는 단독주택에 대한 로망을 가지고 있는 저로서는 도시재생 프로그램이 매력적일 수 밖에 없었습니다.

공간 활동가로 신길 5동에서 활동했던 시간동안 오래 되고 낡은 이 조그만 마을에서 어떤 일이 일어났는지 확인하였고, 그것은 서울시 도시재생 정책의 나아갈 바를 제시하고 있음을 보게 되었습니다.

도시재생에 관심을 가지는 주민들이 모이면서 마을에 꿈이 생겼습니다. 참여하는 주민들이 늘어나면서 마을 곳곳에 변화가 생겼습니다. 좁은 길에 통행을 막던 전봇대를 담장 가까이 옮기게 되었고, 집과 집 사이에 얽혀진 통신선을 정리하였습니다. 평범했던 골목길에 벽화가 그려지고 그 벽화의 이야기는 마을의 스토리가 되었습니다.

신길5동 어르신들 대부분 오랜 시간 집과 함께 나이 들었고, 그 집에서 살았던 나이만큼의 사연을 품게 되었음을 알게 되었습니다. 어르신들이 살고 있는 집은 그 사람의 모습을 닮고 있으며 그의 인생을 이야기 해 줍니다.

사람이든 물건이든 시간이 지나면 낡게 되지만, 그 안에서 그 사람이 만든 이야기는 우리의 문화가 되고 우리 집의 감성이 됩니다. 시간과 문화가 담긴 그런 집을 재개발이라고 하는 제도로 훼손한다면 지금 살고 있는 어르신들이 만들어온 마을 이야기는 사라지고 말 것입니다. 오랜 시간과 공간이 만들어낸 가치 있는 품세리 마을의 역사와 문화를 지켜내지 못할 것입니다.

내가 겪은 어르신들은 그렇게 사라지기엔 너무 아름답고 소중한 분들이십니다. 당신들의 이야기를 지키고 싶어 하고 내 이웃을 나의 삶의 테두리 안에 두고 싶어 하는 정 많고 사랑 많은 분들이었습니다.

도시재생은 그분들이 원하는 것을 실현시킬 수 있는 가장 적절한 제도라고 생각합니다. 그 안에 같이 속해 있던 몇 개월의 시간이 행복했고 보람 있었습니다,

앞으로 도시재생 희망지 사업 이후 진행될 일들이 기대됩니다. 마을의 겉모습의 변화는 마을 사람들의 마음과 분위기를 차츰차츰 바꿔 가리라는 걸 믿어 의심치 않습니다.

끝까지 좋은 결과가 있기를, 어르신들이 그때까지 건강하시기를 진심으로 바래봅니다.

▲ 사진으로 보는 품세리 마을 도시재생사업 활동

품세리마을 주민들은 희망돋움 1단계 사업부터 현재에 이르기까지 스스로 도시재생을 위한 환경개선 사업을 기획하고 추진해 왔습니다.

주민 모임을 통해서 마을 주거환경개선 과제를 도출하고, 이를 구체적으로 실천할 수 있는 내부 역량 강화와 외부 자원의 유입을 촉진할 수 있는 네트워크 활용을 통해, 행정기관 주도의 주거환경 개선 사업 못지않은 성과를 거두었습니다.

특히 무더위가 극성이었던 2018년 7월부터 한 달 간 384미터나 되는 골목길 벽화를 완성하기 위해 밤낮을 가리지 않고 300여명의 대학생과 주민들이 함께 땀을 흘렸던 기억은 우리 마을 주민들 가슴속 깊이 남아 있습니다.

이제 도시재생활성화지역으로 선정되기 전 까지 할 수 있는 모든 것을 해 온 마을 주민들의 지난 3년 동안의 헌신적인 활동을 사진으로 정리했습니다.

▲ 마을 골목길 벽화 그리기

◦ 대학생들과 밤늦게까지 함께 그린 품세리마을 벽화그림

◦ 대학생 봉사자들에게 살인적인 햇빛을 가려주는 주민들

◦ 품세리마을의 벽쇄스토리가 완성된 날 열린 마을 축제

◦ 품세리마을의 최장기 거주 주민에 의한 벽화 시 낭송

◦ 벽화작업에 참여했던 주민공동체 운영진들의 다짐 선언

◦ 벽화작업에 참여했던 대학생봉사자들의 축하 합창 공연

24-8
한 없이 작게만 느껴지던 네가
이 곳에서 언제 이렇게 컸나.
옹알거리던 작은 입에서
조잘조잘
사랑스러운 말들이 쏟아져 나오고

지금 너는 귤을 까서
입속에 먼저 넣어주는구나

밤거리 지나다니며

더 많이 사랑하고, 더 많이 사랑한다.
국순당
Seung Hee.

국순당

▲ 마을 입구 환경 개선 작업

신길 품세리 마을
자원봉사단

신길 품세리 마을
자원봉사단

주거환경개선을 위한 전주/통신
우리 마을은 우리 주민스스로 가꾸고

▲ 도시재생 공감대 확산을 위한 홍보 활동

◦ 2018년 서울시 도시재생 희망지마을 현수막 앞에서

◦ 도시재생활동 홍보 포스터를 주민들이 부착하는 모습

우리 마을이 서울시도시재생 희망지 마을로 선정되어

새롭게 태어납니다

마을 주민들의 삶의 족적과 정이 담겨 있는
마을 문화를 보존하고 주거환경을 가꿔나가려는
아름다운 사람들의 마을공동체 **신길품세리**

이제 도시재생 정책을 통해 **확! 변신합니다**

이웃 사촌과 나누는 정이 있는 마을
골목길에 뛰어노는 어린아이들이 있는 마을
오래되었지만 문화를 소중히 여길 줄 아는 마음이 따뜻한 사람들이 사는 곳.

품

지역 문화를 파괴하는 지역주택조합
개발은 천박한 개발 자본주의 병폐다

도시재생 사업을 통해
주민 스스로
마을 주거환경을
바꿔보자는

뜻을 품은

착한 사람들의 공동체

세

마을은 삶의 족적이며 역사이자
가족과 함께한 소중한 추억이다

마을주민의 삶을 파괴
하는 문화파괴적 개발
대신, 사람의 정이 담긴
마을문화를 지켜가자는

의지를 세운

작지만 강한 마을 공동체

리

어린이들의 웃음소리와 노인의 지혜가
함께 어우러지는 행복한 마을을 가꾼다

영원히 잊혀지지 않는
행복한 사람들이 되고자
하는 사람들이.서로 정을
나누며 살아가려는

꿈을 이(리)루려는

아름다운 사람들의 공동체

골목길 가로막는 전신주 이설, 얽힌 통신선 정비, 낡은 골목길 벽화작업 등을 통해 우리 마을이 확 변신하고 있습니다. 문화를 소중히 여기는 마을주민들의 감성과 정으로 다져가는 도시재생의 성공적 모델을 만들어가겠습니다

문의전화 **신길품세리 마을 기획단** 010-4019-9113

▲ 우리마을은 우리 스스로 가꾼다 - 마을 대청소

◦ 매월 첫째주 토요일마다 진행하는 마을 대청소

◦ 마을 골목길 곳곳을 깨끗하게! 쓰레기 없는 품세리 마을

▲ 주거환경 개선을 위해 머리를 맞대다 - 주1회 정기회의

◦ 매주 목요일 7시 거점공간에서 열리는 주민정기 모임

◦ 마을 소식과 이웃 간의 정을 나누며 소통하는 시간

▲ 물건도 마을도 재생하는 마을축제 - 바자회

◦ 도시 재생의 의미를 찾는 마을 축제 장면

◦ 나누는 마음으로 사람도 물건도 재생하는 바자회

▲ 주민 역량강화를 위한 도시재생 학교 운영

◦ 서울시 도시재생에 대한 이해 및 공감대 확산을 위한 교육

◦ 5월16 ~ 7월 18일까지 8회 진행된 도시재생학교 수료식

▲ 도시재생 성공사례 마을 탐방

◦ 도시재생 성공사례 탐방 – 서울 성북구 장위동

◦ 도시재생 성공사례탐방 – 서울 산골마을과 경복궁

▲ 도시재생 역량강화 및 동기유발 프로그램

◦ 집, 길, 마을의 의미를 찾아 떠난 아산 외암마을 체험

◦ 건축자재 정보 및 시공기술 습득위한 건축박람회 견학

▲ 자서전 쓰기를 통한 도시재생 공감대 형성

◦ 자서전 구술모습과 어르신이 직접 적어오신 원고들

집, 마을, 그리고 사람들의 이야기

지 은 이 품세리마을 주민들
펴 낸 이 품세리마을기획단
기　　획 좋은학교만들기학부모모임
편　　집 오현정
주　　소 서울시 영등포구 신길5동 430 - 15
전　　화 070-7697-7994
팩　　스 070-7697-8207
I S B N 979-11-6440-062-1

홈페이지 http://cafe.naver.com/singil5donghope
이 메 일 cjh832@naver.com

이 도서의 국립중앙도서관 출판예정도서목록(CIP)은 서지정보유통지원시스템 홈페이지(http://seoji.nl.go.kr)와
국가자료종합목록 구축시스템(http://kolis-net.nl.go.kr)에서 이용하실 수 있습니다. (CIP제어번호 : CIP2019036066)